ACCESO GRATIS ***a la Lectura en la Nube***

Para visualizar el libro electrónico en la nube de lectura envíe junto a su nombre y apellidos una fotografía del código de barras situado en la contraportada del libro y otra del ticket de compra a la dirección:

ebooktirant@tirant.com

En un máximo de 72 horas laborables le enviaremos el código de acceso con sus instrucciones.

GUÍA DE PREGUNTAS Y RESPUESTAS SOBRE CÓMO PROTEGER LAS IDEAS EMPRENDEDORAS

GUÍA DE PREGUNTAS Y RESPUESTAS SOBRE CÓMO PROTEGER LAS IDEAS EMPRENDEDORAS

JAVIER PLAZA PENADÉS
Cátedra UV fomento del emprendimiento

tirant lo blanch
Valencia, 2026

En caso de erratas y actualizaciones, la Editorial Tirant lo Blanch publicará la pertinente corrección en la página web www.tirant.com

Colección dirigida por:
ANA BELÉN CAMPUZANO
MARCELO PASCUAL

EDITA: TIRANT LO BLANCH
C/ Artes Gráficas, 14 - 46010 - Valencia
TELFS.: 96/361 00 48 - 50
FAX: 96/369 41 51
Email: tlb@tirant.com
www.tirant.com
Librería virtual: www.tirant.es
DEPÓSITO LEGAL: V-625-2026
ISBN: 979-13-7040-034-7
MAQUETA: Innovatext

Índice

PRÓLOGO

En octubre de 2025, la Concejalía de Emprendimiento del Ayuntamiento de Valencia y la centenaria Universidad de Valencia firmamos un convenio para la creación de la *Cátedra de Fomento del Emprendimiento*, con un objetivo común: construir el futuro de Valencia y de España a través del impulso decidido al espíritu emprendedor.

En el centro de esta visión está el verdadero protagonista: el emprendedor. Aquella persona que da el paso valiente de iniciar un negocio, un comercio o una industria, muchas veces basado en una idea original, una propuesta innovadora que desafía lo establecido.

El motor del emprendimiento es, sin duda, la idea. Esa chispa que da origen a todo. Por ello, surge esta guía bajo el paraguas de la colaboración entre la Universidad de Valencia y la Concejalía de Emprendimiento: *"Cómo proteger las ideas emprendedoras"*. Porque las ideas no solo son el punto de partida de cualquier proyecto, sino también el activo más valioso de quienes emprenden.

Cualquier persona que inicia una aventura empresarial ha sentido el temor a que sus ideas sean apropiadas indebidamente, y se pregunta:

- ¿Se pueden proteger?
- ¿Cómo hacerlo?
- ¿Qué ocurre si alguien revela una idea confidencial?
- ¿Se pueden vender las ideas?
- ¿Cabe una defensa legal en caso de apropiación?

Esta guía responde, con lenguaje claro y enfoque jurídico sólido, a estas y muchas otras preguntas que se hacen quienes emprenden. En formato de preguntas y respuestas, ofrece una lectura ágil y accesible, sin renunciar al rigor necesario.

Además de abordar la protección de ideas, se adentra en aspectos clave como el tratamiento de los datos personales y los diferentes niveles de protección: desde la confidencialidad y el secreto, hasta la propiedad intelectual e industrial.

El objetivo es claro: acompañar al emprendedor en la defensa de su creatividad, preservar la innovación y blindar los secretos empresariales frente al plagio, la competencia desleal y otras amenazas.

Esta publicación, dirigida por el Catedrático D. Javier Plaza Penadés, al frente de la Cátedra "Fomento del Emprendimiento" de la Universidad de Valencia, es el resultado de un trabajo que combina precisión técnica y claridad divulgativa. Demuestra que el lenguaje accesible y el contenido jurídico pueden —y deben— ir de la mano.

Estoy convencido de que esta guía será una herramienta de gran utilidad para quienes comienzan su camino emprendedor y para quienes los asesoran en nuestro vibrante ecosistema empresarial.

Valencia, diciembre de 2025.

José Gosálbez Payá
Segundo Teniente de Alcalde del Ayuntamiento de Valencia
Concejal de Emprendimiento

EXPLICACIÓN Y JUSTIFICACIÓN DE ESTA GUÍA

Las ideas emprendedoras junto con la necesidad de abordar una continua adaptación a las nuevas realidades de mercado y la necesidad de una continua innovación son un importante estímulo para el desarrollo de la empresa y de nuevos conocimientos y propicia la emergencia de modelos empresariales basados en la utilización de conocimientos.

Las ideas emprendedoras y cualquier idea innovadora encuentra en nuestro Derecho una protección específica como secreto industrial o empresarial (el llamado Know-how) que después permite que el desarrollo y la materialización de esas ideas se pueda proteger como derechos de propiedad industrial e intelectual utilizando entre tanto el secreto y la confidencialidad como una herramienta de gestión de la competitividad empresarial, de transferencia de conocimiento público-privada y de la innovación en investigación, con el objetivo de proteger información que abarca no solo conocimientos técnicos o científicos, sino también datos empresariales relativos a clientes y proveedores, planes comerciales y estudios o estrategias de mercado.

Por tanto, la persona emprendedora debe tomar conciencia de la importancia que tiene tanto la adecuada protección de las ideas emprendedoras, entre las que se incluyen los planes de desarrollo comercial, como de los datos personales de sus clientes y proveedores.

Sin embargo, tanto los emprendedores como las entidades innovadoras están cada vez más expuestas a prácticas desleales que persiguen la apropiación indebida o la cesión abusiva de las ideas emprendedoras e innovadoras y de secretos comerciales y empresariales, como el robo, la copia no autorizada, el espionaje económico o el incumplimiento o infracción de los deberes legales y contractuales de confidencialidad. Además, la globalización, la creciente externalización, las cadenas de suministro más largas y complejas y el mayor uso de las tecnologías de la información y la comunicación contribuyen a aumentar el riesgo de prácticas abusivas y desleales o deshonestas orientadas a conocer y a apropiarse de las ideas emprendedoras e innovadoras.

La obtención, utilización o revelación ilícitas de una idea emprendedora como secreto empresarial que es, compromete la capacidad de su titular legítimo para aprovechar las ventajas que le corresponden como precursor por su labor de innovación.

Por ello, la Unión Europea, a través de una Directiva comunitaria que ya se ha incorporado a nuestro Derecho, ha desarrollo instrumentos jurídicos eficaces y comparables para la protección de los secretos empresariales y evitar así el menoscabo de los incentivos para emprender actividades asociadas a la innovación y que impedían que las ideas emprendedoras y los secretos empresariales pudiesen liberar su potencial como estímulos del crecimiento económico y del empleo.

En consecuencia, la Unión Europea pretende promover la innovación y la creatividad para favorecer una mayor y justa optimización de dichas ideas y favorecer la inversión en las mismas, con las consiguientes repercusiones en el buen funcionamiento del mercado y su incuestionable potencial como factor de crecimiento, garantizando así la competitividad, que se sustenta en el saber hacer (know-how) y en la información empresarial no divulgada, para que esté protegida de manera adecuada hasta su pleno desarrollo y materialización, mejorando así las condiciones y el marco para el desarrollo y la explotación de la innovación y la transferencia de conocimientos en el mercado.

Una seguridad jurídica reforzada en el ámbito de la adecuada protección de las ideas emprendedoras contribuye a aumentar el valor del desarrollo industrial y en la mejora de la calidad y competitividad de bienes y servicios y evita el riesgo de apropiación indebida, lo cual redunda en efectos positivos en el funcionamiento del mercado.

Por ello, los esfuerzos emprendidos a nivel internacional en el marco de la Organización Mundial del Comercio para poner remedio a este problema tuvieron reflejo en el Acuerdo sobre los Aspectos de los Derechos de Propiedad intelectual relacionados con el Comercio (Anexo 1C del Convenio por el que se crea la Organización Mundial del Comercio, Ronda Uruguay de 1994, comúnmente denominados «ADPIC»). Este acuerdo contiene, entre otras, unas disposiciones relativas a la protección de las ideas emprendedoras, en particular, y de los secretos empresariales, en general, para protegerlos contra su obtención, utilización o revelación ilícitas por terceros.

Así, todos los Estados miembros de la Unión Europea, así como la propia Unión, están vinculados por dicho acuerdo, que fue aprobado mediante la Decisión 94/800/CE del Consejo, de 22 de diciembre de 1994, relativa a la celebración en nombre de la Comunidad Europea, por lo que respecta a los temas de su competencia, de los acuerdos resultantes de las negociaciones multilaterales de la Ronda Uruguay (1986-1994).

En este contexto, dentro de la Unión Europea las divergencias nacionales existentes en materia de protección de secretos empresariales han llevado a la aprobación de la Directiva (UE) 2016/943 del Parlamento Europeo y del Consejo, de 8 de junio de 2016, relativa a la protección de los conocimientos técnicos y la información empresarial no divulgados (secretos comerciales) contra su obtención, utilización y revelación ilícitas, a fin de armonizar la legislación de los Estados miembros con el objetivo de establecer un nivel suficiente y comparable de reparación en todo el mercado interior en caso de apropiación indebida de secretos empresariales.

El objetivo de la iniciativa europea es, por un lado, fomentar el espíritu emprendedor y garantizar que la competitividad de las empresas y organismos de investigación europeos que se basa en el saber hacer y en información empresarial no divulgada (secretos empresariales) esté protegida de manera adecuada y, por otro, mejorar las condiciones y el marco para el desarrollo y la explotación de la innovación y la transferencia de conocimientos en el mercado interior.

La Directiva contiene normas en materia de protección frente a la obtención, utilización y revelación ilícitas de ideas emprendedoras y secretos empresariales que no podrán invocarse para restringir la libertad de establecimiento, la libre circulación de los trabajadores o la movilidad de éstos y que tampoco afectan a la posibilidad de que los empresarios y los trabajadores celebren pactos de limitación de la competencia entre ellos.

La Directiva europea contiene, además, una definición legal de las ideas y conocimientos secretos que se protegen, y que son aquella información que sea secreta en el sentido de no ser generalmente conocida por las personas pertenecientes a los círculos en que normalmente se utilice el tipo de información en cuestión, ni fácilmente accesible para éstas, siempre que, además, tenga un valor comercial por su carácter secreto, y haya sido objeto de medidas razonables, en las circunstancias del caso, para mantenerla secreta.

Por consiguiente, esta definición de secreto empresarial no abarca la información de escasa importancia, como tampoco la experiencia y las competencias adquiridas por los trabajadores durante el normal transcurso de su carrera profesional ni la información que es de conocimiento general o fácilmente accesible en los círculos en que normalmente se utilice el tipo de información en cuestión.

Se establecen asimismo las circunstancias en las que está justificada su protección jurídica, así como los comportamientos y prácticas que son constitutivos de obtención, utilización o revelación ilícita del mismo.

Se regula, además, las vías de acción civil frente a la obtención, utilización o revelación ilícitas de secretos empresariales, las cuales no deben comprometer ni menoscabar los derechos y libertades fundamentales (como la intimidad personal o familiar) ni el interés público y han de ser aplicadas de forma proporcionada, evitando la creación de obstáculos al comercio legítimo en el mercado interior y previendo medidas de salvaguarda contra los abusos.

En este nuevo marco jurídico, en España se regula la Ley 1/2019, de 20 de febrero que incorpora a nuestro Derecho la normativa comunitaria, buscando así mejorar la eficacia de la protección jurídica de los secretos empresariales contra la apropiación indebida en todo el mercado interior y completando la regulación de la Ley 3/1991, de 10 de enero, de Competencia Desleal, y en concreto su artículo 13, desde una perspectiva sustantiva y, especialmente, procesal.

Dicha ley se estructura en veinticinco artículos distribuidos en cinco capítulos, una disposición transitoria y seis disposiciones finales.

El mayor aporte de la Ley de secretos empresariales (o industriales) radica en que contiene el concepto jurídico legal que la Unión Europea ha establecido de lo que debe entender por secreto empresarial protegible, conforme a la Directiva (UE) 2016/943 del Parlamento Europeo y del Consejo, de 8 de junio de 2016. Esta definición constituye una de las novedades más sobresalientes de la presente ley, que configura dicha noción abarcando cualquier información novedosa que sea secreta, tenga valor empresarial y haya sido objeto de medidas razonables por parte de su titular para mantenerla en secreto.

Se ha considerado igualmente conveniente en todo caso preservar la terminología tradicionalmente empleada en nuestro sistema jurídico en los casos en los que los nuevos términos se refieren a conceptos sobradamente arraigados, estudiados y tratados en la legislación, la jurisprudencia y la doctrina. En este sentido, por ejemplo, se ha preferido mantener las expresiones de «secretos empresariales» para designar el objeto de protección y de «titular» para designar a quien legítimamente posee el secreto empresarial y se beneficia de su protección jurídica.

Pues bien, las disposiciones de esta ley atribuyen al titular del secreto empresarial un derecho subjetivo de naturaleza patrimonial, susceptible de ser objeto de transmisión, en particular, de cesión o transmisión a título definitivo y de licencia o autorización de explotación con el alcance objetivo, material, territorial y temporal que en cada caso se pacte.

Por ello, la presente guía contiene los aspectos básicos de dicha Ley de secreto comercial (Know-How) que protege las ideas emprendedoras de forma integral, tanto en el ámbito sustantivo como en el jurisdiccional, y por ello su conocimiento resulta esencial para cualquier persona emprendedora con independencia de cuál sea su formación jurídica, para lo que se ha buscado un lenguaje claro y sencillo, pero sin perder el rigor divulgativo y técnico que la presente Guía merece.

Por último, conviene resaltar que la presente guía tiene un valor simplemente informativo y orientador (pues está sometido a cambios normativos y de criterio interpretativo), por lo que no se puede derivar de la misma ningún tipo de responsabilidad.

PROTECCIÓN DE LAS IDEAS EMPRENDEDORAS, KNOW-HOW Y PROPIEDAD INTELECTUAL

SUMARIO: 1. ¿TENGO ALGÚN DERECHO POR TENER UNA IDEA? 2. ¿CÓMO SE PROTEGEN LAS IDEAS EN GENERAL, INCLUIDAS LAS RELACIONADAS CON EL EMPRENDIMIENTO EMPRESARIAL? 3. ¿QUIÉN PUEDE SER TITULAR DE UNA IDEA EMPRENDEDORA? 4. ¿ESTÁ PERMITIDO REVELAR UNA IDEA EMPRENDEDORA? 5. ¿QUÉ ACCIONES SE CONSIDERAN ILÍCITAS RESPECTO A LAS IDEAS EMPRENDEDORAS? 6. ¿ES POSIBLE TRANSMITIR UNA IDEA EMPRENDEDORA? 7. ¿CÓMO SE PUEDEN DEFENDER LAS IDEAS EMPRENDEDORAS EN LOS TRIBUNALES? 8. ¿CUÁL ES EL PLAZO PARA PRESENTAR ACCIONES DE DEFENSA DE LAS IDEAS EMPRENDEDORAS EN LOS TRIBUNALES? 9. ¿DÓNDE SE DEBEN PRESENTAR LOS RECLAMACIONES JUDICIALES RELACIONADAS CON LAS IDEAS EMPRENDEDORAS Y SECRETOS EMPRESARIALES? 10. ¿QUÉ MEDIDAS CAUTELARES PUEDEN SOLICITARSE EN CASO DE INFRACCIÓN A UNA IDEA EMPRENDEDORA O PROYECTO DE EMPRESA? 11. ¿CÓMO SE PROTEGE UNA IDEA EMPRENDEDORA O LA INFORMACIÓN QUE PUEDA CONSTITUIR SECRETO EMPRESARIAL EN LOS TRIBUNALES DURANTE EL DESARROLLO DE UN LITIGIO JUDICIAL? 12. ¿DE QUIÉN ES LA AUTORÍA DE UNA IDEA EMPRENDODORA QUE SE MATERIALIZA EN OBRA O PRESTACIÓN PROTEGIDA POR LA PROPIEDAD INTELECTUAL O DE UN PROGRAMA DE ORDENADOR O DE UNA BASE DE DATOS? 13. ¿QUÉ DERECHOS CONCEDE EL "DERECHO DE AUTOR" Y QUÉ OBRAS O PRESTACIONES COMPRENDE LA "PROPIEDAD INTELECTUAL"? 14. ¿CUÁL ES EL OBJETO DEL DERECHO DE AUTOR Y DE LOS OTROS DERECHOS DE PROPIEDAD INTELECTUAL? 15. ¿CÓMO SE DEBE PROTEGER LEGALMENTE LOS DATOS AJENOS PARA SER TITULAR DE LOS MISMOS? 16. ¿CÓMO DEBE HACER PARA RESPETAR EL DERECHO DE PROTECCIÓN DE DATOS DE PROVEEDORES Y CLIENTES? 17. ¿CÓMO SE TIENE QUE LEGALIZAR UN FICHERO O TRATAMIENTO DE PROTECCIÓN DE DATOS? 18. ¿QUÉ FICHEROS O TRATAMIENTOS DE DATOS PERSONALES DE PROVEEDORES O CLIENTES NO NECESITAN UN REGISTRO DE ACTIVIDADES DE TRATAMIENTO? 19. ¿CÓMO SE DEBE PROTEGER UN SOFTWARE, UNA APP, UN VIDEOJUEGO O UN SISTEMA IA? 20. ¿CÓMO SE DEBE CUMPLIR CON LA NORMATIVA DE DERECHOS DE AUTOR Y PROPIEDAD INTELECTUAL AL DESARROLLAR O IMPLANTAR UN SISTEMA IA? 21. ¿QUÉ MEDIDAS DE SEGURIDAD SE DEBEN ADOPTAR PARA PROTEGER LAS IDEAS EMPRENDEDORES Y LOS SECRETOS COMERCIALES? 22. ¿QUÉ RESPONSABILIDAD EXISTE CUANDO SE SUFRE UNA BRECHA DE SEGURIDAD QUE ADEMÁS AFECTA A DATOS PERSONALES? ANEXO: – Ley de secretos empresariales. –- Ley de propiedad intelectual (extracto)

1. ¿TENGO ALGÚN DERECHO POR TENER UNA IDEA?

✓ **En principio, el mero hecho de tener una idea no atribuye ninguna exclusividad sobre la misma ni impide que otros puedan desarrollar dicha idea.**

✓ Uno de los casos más famosos de emprendimiento en el ámbito de la informática y las nuevas tecnologías fue el de dos hermanos Tyler y Cameron Winklevoss, cuando ambos estudiaban en la Universidad de Harvard, y tuvieron la idea de crear una red social para la universidad (Harvard Connection, después conocido como ConnectU) y para desarrollar dicha idea contactaron con Zuckerberg, que fue quien materializó la idea, desarrollando la red social Facebook, actual Meta. (El caso se resolvió por acuerdo extrajudicial).

✓ Dicho caso ilustra muy bien las divergencias que pueden surgir en el seno de los equipos, entre los que tienen una idea y quienes luego finalmente la materializan, por lo que (si realmente se trata de una idea novedosa y desconocida en un sector especializado) **resulta conveniente tener en cuenta todos los mecanismo de protección de la idea a través de la ley de secretos comerciales o empresariales Know-How,** además de **no perjudicar con su publicidad la posible patentabilidad del producto o procedimiento resultante.**

✓ En nuestro Derecho, **tener la idea no atribuye un monopolio o derecho exclusivo sobre la misma, salvo que se proteja como Know-How con los pertinentes compromisos de confidencialidad.**

✓ En esa misma línea, los programas de ordenador son de la persona que los crea y materializa (a través del desarrollo completo del código fuente).

✓ No es lo mismo "tener una idea para desarrollar un programa de ordenador que sirva de base a una red social" que "crear el concreto software y la red social". **El Derecho solo protege a quien crea o materializa el concreto software.**

✓ **La titularidad del programa de ordenador no es de quien tiene la idea de hacer un concreto software, sino de quien materializa** ese concreto programa de ordenador con su código fuentes, ya que nuestro derecho solo protege a quien "desarrolla el concreto software y crea la red social", salvo que la idea se haya protegido como secreto comercial (con la actual Ley 1/2019, de secretos empresariales) o el "proyecto de idea" se haya inscrito de una forma más detallada en el Registro de la Propiedad Intelectual como obra protegida y ya materializada.

2. ¿CÓMO SE PROTEGEN LAS IDEAS EN GENERAL, INCLUIDAS LAS IDEAS RELACIONADAS CON EL EMPRENDIMIENTO EMPRESARIAL?

Es muy Sencillo: el **Tribunal Supremo ha declarado** en reiteradas ocasiones que:

"LAS IDEAS NO SE PROTEGEN POR PROPIEDAD INTELECTUAL"

✓ Así pues, **las ideas, como los descubrimientos científicos, solo se protegen manteniéndolas en secreto**, hasta que se divulguen por primera vez en un libro, tratado o artículo científico o aplicación práctica de la idea, pero no porque se proteja la idea en sí misma, sino porque va implícita en los derechos de autor sobre la forma en que se ha divulgado o publicado dicha idea (en un libro, tratado, artículo, etc.).

En ese sentido, **la propia Ley señala que**

"A efectos de esta ley, se considera secreto empresarial *cualquier información o conocimiento, incluido el tecnológico, científico, industrial, comercial, organizativo o financiero,* que reúna las siguientes condiciones:

a) **Ser secreto**, en el sentido de **que**, en su conjunto o en la configuración y reunión precisas de sus componentes, **no es generalmente conocido por las personas pertenecientes a los círculos en que normalmente se utilice el tipo de información o conocimiento en cuestión, ni fácilmente accesible para ellas**;

b) **tener un valor empresarial**, ya sea real o potencial, precisamente por ser secreto, y

c) **haber sido objeto de medidas razonables por parte de su titular para mantenerlo en secreto**."

✓ Por tanto, si se **trata de una idea que tiene aplicación o valor comercial, tanto para el desarrollo de un producto o servicio nuevo o desconocido en el sector, como en lo que refiere a la organización y estructura de la propia empresa**, **la Ley 1/2019 de secretos empresariales,** que incorpora la normativa europea sobre secretos comerciales, **exige** **dos requisitos básicos**, a parte de su valor comercial, para que exista protección:

– **Que se trate de una IDEA (INFORMACIÓN O CONOCIMIENTO) REALMENTE NUEVA Y DESCONOCIDA EN EL SECTOR.**

- Que exista un **ACCESO RESTRINGIDO A DICHAS IDEAS, CON LOS CORRESPONDIENTES COMPROMISOS DE CONFIDENCIALIDAD**, si son varias las personas que tienen acceso al desarrollo de una idea que se mantiene como secreto.

> Por ello, en la práctica, va a resultar casi imposible proteger una idea emprendedora como secreto comercial y ejercitar acciones legales contra los que han divulgado indebida o ilícitamente dicho secreto si previamente no hay un NDA (NON-DISCLOUSER AGREEMENT) "**compromiso de confidencialidad**".
>
> Pero, es más, **LA INFRACCIÓN DEL COMPROMISO DE CONFIDENCIALIDAD ES LA BASE PARA EL EJERCICIO DE ACCIONES CIVILES Y PENALES POR VULNERACIÓN DEL SECRETO.**

3. ¿QUIÉN PUEDE SER TITULAR DE UNA IDEA EMPRENDEDORA?

✓ **Cualquier persona física o jurídica que ejerza legítimamente el control sobre la idea emprendedora puede ser su titular,** pues titular de un secreto empresarial es cualquier persona física o jurídica que legítimamente ejerza el control sobre el mismo, y se extiende frente a cualquier modalidad de obtención, utilización o revelación de la información constitutiva de aquél que resulte ilícita o tenga un origen ilícito, con arreglo a lo previsto en Ley 1/2019 de secretos empresariales.

✓ **Además, el secreto empresarial podrá pertenecer proindiviso a varias personas. La comunidad resultante se regirá por lo acordado entre las partes**, en su defecto por lo dispuesto en los apartados siguientes y, en último término, por las normas de derecho común sobre la comunidad de bienes.

Cada uno de los cotitulares por sí solo podrá:

a) Explotar el secreto empresarial previa notificación a los demás cotitulares.

b) Realizar los actos necesarios para la conservación del secreto empresarial como tal.

c) Ejercitar las acciones civiles y criminales en defensa del secreto empresarial, pero deberá notificarlo a los demás comuneros, a fin de que éstos puedan sumarse a las mismas, contribuyendo, en tal supuesto, al pago de los gastos habidos.

✓ En todo caso, si la acción resultase útil a la comunidad, **todos los partícipes deberán contribuir al pago de dichos gastos.**

4. ¿ESTÁ PERMITIDO REVELAR UNA IDEA EMPRENDEDORA?

✓ **La revelación puede ser lícita en ciertas circunstancias,** como el ejercicio del derecho a la libertad de expresión, la defensa del interés general, o si los trabajadores lo comparten con sus representantes en el ejercicio de sus funciones.

✓ Además, la obtención de la información constitutiva del secreto empresarial **se considera lícita** cuando se realice por alguno de los medios siguientes:

a) El descubrimiento o la creación independientes;

b) La observación, estudio, desmontaje o ensayo de un producto u objeto que se haya puesto a disposición del público o esté lícitamente en posesión de quien realiza estas actuaciones, sin estar sujeto a ninguna obligación que válidamente le impida obtener de este modo la información constitutiva del secreto empresarial;

c) El ejercicio del derecho de los trabajadores y los representantes de los trabajadores a ser informados y consultados, de conformidad con el Derecho europeo o español y las prácticas vigentes;

d) o cualquier otra actuación que, según las circunstancias del caso, resulte conforme con las prácticas comerciales leales, incluidas la transferencia o cesión y la licencia contractual del secreto empresarial.

5. ¿QUÉ ACCIONES SE CONSIDERAN ILÍCITAS RESPECTO A LAS IDEAS EMPRENDEDORAS?

✓ Se considera ilícita la obtención de secretos empresariales sin consentimiento de su titular cuando se lleve a cabo mediante el acceso, apropiación o copia no autorizadas de documentos, objetos, materiales, sustancias, ficheros electrónicos u otros soportes, que contengan el secreto empresarial o a partir de los cuales se pueda deducir; o mediante cualquier otra actuación que, en las circunstancias del caso, se considere contraria a las prácticas comerciales leales.

✓ Además, la utilización o revelación de un secreto empresarial se consideran ilícitas cuando, sin el consentimiento de su titular, las realice quien haya obtenido el secreto empresarial de forma ilícita, quien haya incumplido un acuerdo de confidencialidad o cualquier otra obligación de no revelar el secreto empresarial, o quien haya incumplido una obligación contractual o de cualquier otra índole que limite la utilización del secreto empresarial.

✓ La obtención, utilización o revelación de un secreto empresarial se consideran asimismo ilícitas cuando la persona que las realice, en el momento de hacerlo, sepa o, en las circunstancias del caso, debiera haber sabido que obtenía el secreto empresarial directa o indirectamente de quien lo utilizaba o revelaba de forma ilícita según lo dispuesto en el apartado anterior.

✓ Del mismo modo, la producción, oferta o comercialización de mercancías infractoras o su importación, exportación o almacenamiento con tales fines constituyen utilizaciones ilícitas de un secreto empresarial cuando la persona que las realice sepa o, en las circunstancias del caso, debiera haber sabido que el secreto empresarial que incorporan se había utilizado de forma ilícita.

Se consideran **mercancías infractoras aquellos productos y servicios cuyo diseño, características, funcionamiento,** proceso de producción, o comercialización **se benefician de manera significativa de secretos empresariales obtenidos, utilizados o revelados de forma ilícita.**

6. ¿ES POSIBLE TRANSMITIR UNA IDEA EMPRENDEDORA?

✓ Sí, el secreto empresarial es transmisible en todo o en parte a través del pertinente contrato de transmisión o cesión del secreto, y según las condiciones pactadas entre las partes.

✓ En la transmisión habrán de observarse, cuando resulten aplicables por la naturaleza del secreto empresarial, los reglamentos de la Unión Europea relativos a la aplicación del Tratado de Funcionamiento de la Unión Europea en materia transferencia de tecnología.

✓ Y cuando la idea o el secreto pertenezcan a varias personas, en el supuesto de cesión del secreto empresarial o de concesión de licencia a un tercero para explotarlo, deberá ser otorgada conjuntamente por todos los partícipes, a no ser que el órgano jurisdiccional por razones de equidad, dadas las circunstancias del caso, faculte a alguno de ellos para realizar la cesión o concesión mencionadas.

Incluso el secreto empresarial puede ser objeto de licencia con el alcance objetivo, material, territorial y temporal que, en cada caso, se pacte. Salvo pacto en contrario, el titular de una licencia contractual tendrá derecho a realizar todos los actos que integran la utilización del secreto empresarial.

✓ La licencia puede ser exclusiva o no exclusiva, presumiéndose, salvo prueba en contrario, que la licencia es no exclusiva y que el licenciante puede otorgar otras licencias o utilizar por sí mismo el secreto empresarial. La licencia exclusiva impide el otorgamiento de otras licencias y el licenciante sólo podrá utilizar el secreto empresarial si en el contrato se hubiera reservado expresamente ese derecho.

✓ El titular de una licencia contractual sobre una idea emprendedora o secreto no podrá cederla a terceros, ni conceder sublicencias, a no ser que se hubiere convenido lo contrario.

✓ Y el licenciatario o sublicenciatario estará obligado a adoptar las medidas que imponga el titular y sean necesarias para evitar la violación del secreto empresarial.

✓ Por último, quien transmita a título oneroso un secreto empresarial u otorgue una licencia sobre el mismo responderá, salvo pacto en contrario, frente al adquirente de los daños que le cause, si posteriormente se declarara que carecía de la titularidad o de las facultades necesarias para la realización del negocio de que se trate. Responderá siempre cuando hubiera actuado de mala fe.

7. ¿CÓMO SE PUEDEN DEFENDER LAS IDEAS EMPRENDEDORAS EN LOS TRIBUNALES?

✓ Las acciones de defensa incluyen solicitar la cesación de la violación del secreto, la prohibición de comercializar mercancías infractoras y la indemnización por daños y perjuicios.

✓ En concreto, contra los actos de violación de secretos empresariales podrán, en especial, solicitarse:

- La declaración de la violación del secreto empresarial.
- La cesación o, en su caso, la prohibición de los actos de violación del secreto empresarial.
- La prohibición de fabricar, ofrecer, comercializar o utilizar mercancías infractoras o de su importación, exportación o almacenamiento con dichos fines.
- La aprehensión de las mercancías infractoras, incluida la recuperación de las que se encuentren en el mercado, y de los medios destinados únicamente a su producción, siempre que tal recuperación no menoscabe la protección del secreto comercial en cuestión, con una de las siguientes finalidades: su modificación para eliminar las características que determinen que las mercancías sean infractoras, o que los medios estén destinados únicamente a su producción, su destrucción o su entrega a entidades benéficas.
- La remoción, que comprende la entrega al demandante de la totalidad o parte de los documentos, objetos, materiales, sustancias, ficheros electrónicos y cualesquiera otros soportes que contengan el secreto empresarial, y en su caso su destrucción total o parcial.
- La atribución en propiedad de las mercancías infractoras al demandante, en cuyo caso, el valor de las mercancías entregadas podrá imputarse al importe de la indemnización de daños y perjuicios debida, sin perjuicio de la subsistencia de la responsabilidad del infractor en lo que se refiere a la cuantía indemnizatoria que exceda del referido valor. Si el valor de las mercancías excede del importe de la indemnización, el demandante deberá compensarlo a la otra parte.

- La publicación o difusión completa o parcial de la sentencia, que deberá preservar, en todo caso, la confidencialidad del secreto empresarial.
- La indemnización de los daños y perjuicios, si ha intervenido dolo o culpa del infractor, que será adecuada respecto de la lesión realmente sufrida como consecuencia de la violación del secreto empresarial.

✓ Al fijarse la indemnización de daños y perjuicios se tendrán en cuenta todos los factores pertinentes, como son los perjuicios económicos, incluido el lucro cesante, que haya sufrido el titular del secreto empresarial, el enriquecimiento injusto obtenido por el infractor y, cuando proceda, otros elementos que no sean de orden económico, como el perjuicio moral causado al titular del secreto empresarial por su obtención, utilización o revelación ilícitas.

✓ También podrán incluirse, en su caso, los gastos de investigación en los que se haya incurrido para obtener pruebas razonables de la comisión de la infracción objeto del procedimiento judicial.

✓ Con carácter alternativo, se podrá fijar, según los casos, una cantidad a tanto alzado en concepto de indemnización de daños y perjuicios, atendiendo, al menos y entre otros aspectos, al importe que la parte demandada habría tenido que pagar al titular del secreto empresarial por la concesión de una licencia que le hubiera permitido utilizarlo durante el período en el que su utilización podría haberse prohibido.

8. ¿CUÁL ES EL PLAZO PARA PRESENTAR ACCIONES DE DEFENSA DE LAS IDEAS EMPRENDEDORAS EN LOS TRIBUNALES?

✓ Las acciones de defensa de los secretos empresariales prescriben por el transcurso de tres años desde el momento en que el legitimado tuvo conocimiento de la persona que realizó la violación del secreto empresarial. Su prescripción se interrumpirá por las causas previstas, con carácter general, en el Código Civil.

9. ¿DÓNDE SE DEBEN PRESENTAR LOS RECLAMACIONES JUDICIALES RELACIONADAS CON LAS IDEAS EMPRENDEDORAS Y SECRETOS EMPRESARIALES?

✓ Los litigios se presentarán ante los jueces y tribunales del orden jurisdiccional civil, específicamente en el Juzgado de lo Mercantil correspondiente.

✓ Será territorialmente competente para conocer de las acciones sobre Know-how el Juzgado de lo Mercantil correspondiente al domicilio del demandado o, a elección del demandante, el Juzgado de lo Mercantil de la provincia donde se hubiera realizado la infracción o se hubieran producido sus efectos.

✓ Si bien, cuando esté plenamente operativa la Ley Orgánica 1/2025, de 2 de enero, de medidas en materia de eficiencia del Servicio Público de Justicia, ya no existirán los juzgados de lo mercantil como tal, sino que serán Tribunales de instancia con secciones especializadas.

10. ¿QUÉ MEDIDAS CAUTELARES PUEDEN SOLICITARSE EN CASO DE INFRACCIÓN A UNA IDEA EMPRENDEDORA O PROYECTO DE EMPRESA?

Quien ejercite o vaya a ejercitar una acción civil de defensa de secretos empresariales podrá solicitar del órgano judicial que haya de entender de ella la adopción de medidas cautelares tendentes a asegurar la eficacia de dicha acción.

En concreto podrán adoptarse como medidas cautelares contra el presunto infractor las que aseguren debidamente la completa efectividad del eventual fallo que en su día recaiga y, en especial, las siguientes:

a) El cese o, en su caso, prohibición de utilizar o revelar el secreto empresarial;

b) El cese o, en su caso, prohibición de producir, ofrecer, comercializar o utilizar mercancías infractoras o de importar, exportar o almacenar mercancías infractoras con tales fines;

c) La retención y depósito de mercancías infractoras;

d) El embargo preventivo de bienes, para el aseguramiento de la eventual indemnización de daños y perjuicios.

En definitiva, se pueden solicitar medidas como la prohibición de uso o revelación del secreto, el cese de producción o comercialización de mercancías infractoras, y la retención de bienes relacionados con la infracción.

11. ¿CÓMO SE PROTEGE UNA IDEA EMPRENDEDORA O LA INFORMACIÓN QUE PUEDA CONSTITUIR SECRETO EMPRESARIAL EN LOS TRIBUNALES DURANTE EL DESARROLLO DE UN LITIGIO JUDICIAL?

✓ Las partes, sus abogados o procuradores, el personal de la Administración de Justicia, los testigos, los peritos y cualesquiera otras personas que intervengan en un procedimiento relativo a la violación de un secreto empresarial, o que tengan acceso a documentos obrantes en dicho procedimiento por razón de su cargo o de la función que desempeñan, no podrán utilizar ni revelar aquella información que pueda constituir secreto empresarial y que los jueces o tribunales, de oficio o a petición debidamente motivada de cualquiera de las partes, hayan declarado confidencial y del que hayan tenido conocimiento a raíz de dicha intervención o de dicho acceso.

✓ Esta prohibición estará en vigor incluso tras la conclusión del procedimiento, salvo que, por sentencia firme, se concluya que la información en cuestión no constituye secreto empresarial o, con el tiempo, pase a ser de conocimiento general o fácilmente accesible en los círculos en que normalmente se utilice.

✓ Los jueces y tribunales podrán, asimismo, de oficio o previa solicitud motivada de una de las partes, adoptar las medidas concretas necesarias para preservar la confidencialidad de la información que pueda constituir secreto empresarial y haya sido aportada a un procedimiento relativo a la violación de secretos empresariales o a un procedimiento de otra clase en el que sea necesaria su consideración para resolver sobre el fondo.

Las medidas a las que se refiere el párrafo anterior podrán incluir, entre otras, que sean adecuadas y proporcionadas, las siguientes:

- Restringir a un número limitado de personas el acceso a cualquier documento, objeto, material, sustancia, fichero electrónico u otro soporte que contenga información que pueda constituir en todo o en parte secreto empresarial;
- Restringir a un número limitado de personas el acceso a las vistas, cuando en ellas pueda revelarse información que pueda constituir en todo o en parte secreto empresarial, así como el acceso a las grabaciones o transcripciones de estas vistas;
- Poner a disposición de toda persona que no esté incluida entre las personas que tienen limitado el acceso una versión no confidencial de la resolución judicial que se dicte, de la que se hayan eliminado o en la que se hayan ocultado los pasajes que contengan información que pueda constituir secreto empresarial.

✓ La determinación del número de personas a las que se limita el acceso habrá de respetar el derecho de las partes a la tutela judicial efectiva y a un juez imparcial, e incluirá, al menos, una persona física de cada una de las partes y sus respectivos abogados y procuradores.

✓ En todo caso, la adopción, contenido y circunstancias de las medidas para preservar la confidencialidad de la información previstas en este apartado tendrá en cuenta los intereses legítimos de las partes y de los terceros, así como el perjuicio que pudiera ocasionárseles, y habrá de respetar el derecho de las partes a la tutela judicial efectiva y a un juez imparcial.

✓ Por último, todo tratamiento de datos de carácter personal que deba efectuarse en juicio se llevará a cabo de conformidad con la normativa de la Unión Europea y española en materia de protección de datos de carácter personal.

12. ¿DE QUIÉN ES LA AUTORÍA DE UNA IDEA EMPRENDEDORA QUE SE MATERIALIZA EN OBRA O PRESTACIÓN PROTEGIDA POR LA PROPIEDAD INTELECTUAL O DE UN PROGRAMA DE ORDENADOR O DE UNA BASE DE DATOS?

✓ La autoría pertenece a la persona que crea una obra (literaria, artística o científica) original, y le pertenece "por el mero hecho de la creación".

✓ Pero si son varias las personas que intervienen en el proceso de creación, la Ley de propiedad intelectual prevé **tres tipos básicos de cotitularidad o coautoría** sobre obras intelectuales:

- Las **obras en colaboración** son una obra conjunta, que **es la suma de aportaciones individuales**, y donde el autor de cada concreta aportación puede divulgar o comercializarla por separado, siempre que no cause perjuicio a la obra en colaboración o no se haya restringido tal posibilidad por un acuerdo o contrato (**artículo 7 del Texto Refundido de Ley de Propiedad Intelectual; a partir de ahora TRLPI).**
- Las **obras colectivas** son **aquellas en las que la autoría es de la persona (física o jurídica) que coordina y dirige la obra**, especialmente cuando en dicha obra colectiva ya no existen aportaciones separables cuya autoría se pueda individualizar (artículo 8 TRLPI). Este supuesto, permite que exista un único titular de los derechos de autor (la persona física o jurídica que dirige la obra) aunque participen varias personas.

✓ **Este supuesto de obra colectiva es además la más común en programas de ordenador y en bases de datos, y por tanto será la más común en los creadores o desarrolladores (proveedores) de sistemas IA.**

✓ Las **obras compuestas** son aquellas que son iniciadas por un autor y concluidas por otro (artículo 9 TRLPI).

En caso de COAUTORÍA,
CONVIENE
QUE SE DELIMITE DICHA AUTORÍA o TITULARIDAD
CON CARÁCTER PREVIO
EN UN DOCUMENTO O CONTRATO

13. ¿QUÉ DERECHOS CONCEDE EL DERECHO DE AUTOR Y QUÉ OBRAS O PRESTACIONES COMPRENDE LA PROPIEDAD INTELECTUAL?

✓ **Los derechos de autor comprenden** tanto el **"derecho moral de autor"**, como los **"derechos de explotación"**.

✓ **El derecho moral** contiene a su vez siete derechos (artículo 14 TRLPI), de los que merece destacarse *el derecho a ser reconocido como autor de la obra y el derecho de respeto a la integridad de la obra*, decidiendo, además, cuándo y cómo se debe publicar. Lo más destacable es que los **derechos morales son irrenunciables, intransmisibles e indisponibles.** Por tanto, es nula la renuncia a la condición de autor sobre una obra cuya verdadera autoría se puede probar.

✓ Los **derechos de explotación** (artículos 17 y ss. TRLPI), como son el de *reproducción, distribución, transformación, comunicación pública, incluida la puesta a disposición en Internet, la traducción o transformación...* **son derechos renunciables y disponibles.** Y tienen una duración de 70 años desde el fallecimiento del autor (*post mortem auctoris*)

POR TANTO, LAS OBRAS INTELECTUALES (LIBROS, ARTÍCULOS, SOFTWARE, BASES DE DATOS, GRABACIONES AUDIOVISUALES...) PUEDEN EXPLOTARSE MEDIANTE CESIÓN DE DERECHOS o MEDIANTE SISTEMAS *"OPEN ACCESS"*, COMO LAS LICENCIAS *"CREATIVE COMMONS"*

https://creativecommons.org/licenses/?lang=es_ES

Las cuales se basan precisamente en ese principio de disponibilidad de los derechos de explotación, y de respeto al derecho moral irrenunciable a ser reconocido como autor.

✓ La **forma básica de advertir** que una obra literaria, **artística o científica (o un software o un sistema IA) tiene derechos de autor es con una "c" (de Copyright) con un circulito** (©), siendo conveniente que se indique la fecha exacta de publicación. Del mismo modo, se puede proteger inscribiendo las obras en el **Registro de Propiedad Intelectual**, pues hace prueba de autoría en caso de disputa, aunque la inscripción en el Registro no marca el nacimiento de los derechos de autor (es decir, no tiene carácter constitutivo).

✓ Las licencias *Creative Commons* se basan en la distinta naturaleza de los derechos morales y de explotación: pues los derechos morales de autor (como el reconocimiento de la autoría y el respeto a la integridad de la obra) son irrenunciables, a diferencia de lo que ocurre con los derechos de explotación, que son renunciables y disponibles.

✓ Las licencias *Creative Commons* son variadas y diversas. La más básica, como la que utiliza esta guía, es la licencia (CC BY), que permite a terceros usar la obra, incluso con fines comerciales, pero siempre que se reconozca y respete la autoría. No obstante, también hay licencias *Creative Commons* que prohíben los usos comerciales (NC de *non commercial*) o usos derivados (ND *non derivative*) o restringir el uso a los que explotan sus obras con licencias CC (con la mención SA, *share a like* o compartir entre iguales o con la misma licencia). Ver https://creativecommons.org/licenses/?lang=es_ES

Por tanto, en el caso de licencias *creative commons,* resulta esencial reconocer y respetar la autoría en todo tipo de supuestos, y ajustarse a la modalidad de licencia para no incurrir en infracción de los derechos de autor.

14. ¿CUÁL ES EL OBJETO DEL DERECHO DE AUTOR Y DE LOS OTROS DERECHOS DE PROPIEDAD INTELECTUAL?

✓ El derecho de **propiedad intelectual está integrado por** dos derechos: el **"derecho de autor"** y los **"derechos afines, vecinos o conexos al derecho de autor".**

✓ El derecho de autor es el que nace para su creador por el mero hecho de la creación y contiene tanto derechos morales, como los derechos de explotación, con una duración de 70 años *post mortem auctoris.*

✓ Mientras que los otros derechos de propiedad intelectual, también llamados derechos afines vecinos o conexos, tienen su regulación propia en cuanto a duración y derechos, y son aquellos que tienen normalmente los titulares que no son el autor: Así, son derechos afines, vecinos o conexos los derechos de los artistas intérpretes o ejecutantes, los del productor de fonogramas, los de producción de grabaciones audiovisuales, o los de los programas de radio y televisión.

✓ Pero también son derechos de propiedad intelectual aquellas fotografías y bases de datos que no son originales.

✓ **La originalidad es el criterio legal para distinguir entre** la protección de una **fotografía como obra de arte**, a través del derecho de autor, y **una "mera fotografía"**, que se protege a través de los derechos de propiedad intelectual.

✓ **Y lo mismo ocurre con las bases de datos,** que si son originales por sus campos de selección, se protegen como derecho de autor. Mientras que**, si no son originales por sus campos de selección, pero entrañan un importante**

esfuerzo en tiempo en recursos económicos, se protegen como derecho sui generis de propiedad intelectual.

La "originalidad" es, por tanto, el requisito legal exigible para que una obra puede ser protegidas por el derecho de autor.

✓ Por ello, **la originalidad exige, en primer lugar, esfuerzo y altura creativa.**

✓ **En las obras de arte predomina la llamada "originalidad subjetiva"**, esto es, la plasmación de los rasgos personales y creativos del autor en su obra. **Mientras que la obra científica y literaria exigen originalidad tanto en la forma de expresarse** (p.e "En un lugar de la Mancha de cuyo nombre no puedo acordarme...), **como en la forma de ordenar y explicar el relato**, que es lo que configura el corpus *mysticum*, (y qué hace que la obra se ha reconocible como tal. Así, por ejemplo, "El Quijote" explicar la locura que genera en Alonso Quijano la lectura de libros de caballería, lo que le lleva a creerse que es un caballero y a vivir una serie de aventuras con su vecino Sancho Panza, configurando un relato único y universal, reconocible tanto en una ópera, como en una representación teatral, como en una obra cinematográfica o como en una serie de dibujos animados).

✓ Curiosamente, para la protección jurídica del programa de ordenador el concepto de originalidad es singular y propio, pues **el programa de ordenador se protege "si es una creación individual"**, por lo que está admitido la copia de un programa de ordenador mediante la visualización de su apariencia externa o interfaz, siempre que no haya copia y pega del código fuente y siempre que dicho código fuente sea elaborado por el propio programador informático.

✓ **El mismo criterio, de momento, debe de aplicarse a los sistemas y modelos IA.**

15. ¿CÓMO SE DEBEN PROTEGER LEGALMENTE LOS DATOS AJENOS PARA SER TITULAR DE LOS MISMOS?

✓ **Los datos son el llamado "petróleo del Siglo XXI"** y lo son por su impacto en la IA, que necesita una gran cantidad de datos de gran calidad como datos de entrada para poder ofrecer resultados de salida.

✓ **La mejor forma de proteger los datos que tenga una empresa es a través de la protección que la Ley de propiedad intelectua**l dispensa a las bases de datos, tanto a las bases datos originales por sus campos de selección (a través del derecho de autor) como a través del derecho sui generis de las bases de datos (tal y como se ha indicado en la pregunta anterior).

✓ **Las bases de datos que tratan datos personales deben respetar la normativa de protección de datos** (obteniendo los datos mediante un consentimiento libre e informado y llevando un registro de actividades de tratamiento y, en su caso, con solicitud de informe de evaluación de impacto o de formalización de un contrato entre el titular del fichero y los encargados del tratamiento).

✓ **Si el contenido de la base de datos está conformado por materiales protegidos por la propiedad intelectual** (base de datos de obras cinematográficas o audiovisuales...) **también se requiere el consentimiento de los titulares de los derechos de propiedad intelectual cuyas obras conforman la base de datos.**

✓ Obviamente, si la base de datos no contiene datos personales y no contiene material protegido por la propiedad intelectual, no se requiere de consentimiento para ir conformando o desarrollando su contenido.

✓ **Toda base de datos que para su elaboración requiere de un importante esfuerzo en tiempo o de muchos recursos económicos,** y es en sí misma valiosa, **tiene un "derecho *sui de generis* de propiedad intelectual sobre dicha base de datos" reconocido por el derecho de la Unión Europea,** frente a los actos de extracción o reutilización de su contenido.

EL TITULAR DE LA BASE DE DATOS ES EL QUE DECIDIRÁ CÓMO SE UTILIZA ÉSTA, COMERCIAL O NO COMERCIALMENTE,

PERO SI LA B.D. TIENE DATOS PERSONALES TAMBIÉN ES EL RESPONSABLE DE LA OBTENCIÓN DE UN CONSENTIMIENTO LÍCITO Y DE CUMPLIR CON LA NORMATIVA DE PROTECCIÓN DE DATOS

✓ Obviamente, el titular de una base de datos no puede impedir que otras personas elaboren una base de datos idéntica o similar, pero tiene que ser una creación propia, no siendo válido el método de extracción o copiado de toda la base de datos y explotación de dicha base con otro nombre comercial.

✓ Para poder acreditar en juicio que una base de datos (plagiaria) se ha elaborado copiando todos los contenidos de una base de datos (originaria), lo que se debe hacer, en todos y cada uno de los documentos que integran la base de datos originaria, es incluir **"alteraciones o marcas de agua".** P.e. en una base de datos de leyes, extraídas de BOE, se debe incluir en cada documento que integra la base "dobles espacios" que no existen en el documento original del BOE. De tal suerte, que, si una persona copia sin consentimiento todas las leyes contenidas en la base de datos, el titular originario pueda acreditar la extracción y reutilización ilícita (plagio de la base de datos) a través de las marcas de agua que ha introducido en todos los documentos de su base de datos, y que aparecen también en los documentos de la base de datos plagiaria.

16. ¿CÓMO DEBE HACER PARA RESPETAR EL DERECHO DE PROTECCIÓN DE DATOS DE PROVEEDORES Y CLIENTES?

✓ Los datos de los proveedores y clientes y demás personas de las que sea necesario tratar sus datos personales constituyen un activo muy valioso para todo emprendedor y para cualquier empresa, si bien el objeto de protección de datos como derecho fundamental afecta únicamente a los datos de personas naturales o físicas. Y, por tanto, no afecta al tratamiento de "datos no personales" o al tratamiento de "datos de personas jurídicas" (sociedades, asociaciones, fundaciones, Administraciones e Instituciones Públicas, etc.)

✓ **Por ello, se debe tener en cuenta que dato personal es** "toda información sobre una persona física identificada o identificable".

Pero dentro de los datos personales hay que tener especial cuidado y atención con:

(a) los datos sensibles o especialmente protegidos (etnia o raza, opinión política, convicciones religiosas o filosóficas, afiliación sindical, datos genéticos, datos biométricos dirigidos a identificar unívocamente, salud, vida u orientación sexual). Dichos datos gozan de una protección reforzada y compleja.

(b) Los datos personales relativos a condenas e infracciones penales, que solo podrán tratarse bajo ciertas circunstancias.

(c) El tratamiento de la imagen de las personas y los datos que puedan afectar al honor e intimidad de las personas, especialmente en el caso de menores (porque son derechos fundamentales a los que se aplica otras leyes como la Ley Orgánica de Protección al honor, intimidad y propia imagen o la de protección del menor).

✓ Que el derecho de protección de datos de carácter personal **es un derecho fundamental** reconocido tanto en la Constitución Española, como en diversos tratados internacionales (especialmente en el artículo 8 de la Carta de Derechos Fundamentales de la Unión Europea).

✓ Que este derecho **se encuentra regulado en** el "Reglamento general de protección de datos, 2016/679" (**RGPD**) -norma de la UE- y en nuestra "Ley Orgánica 3/2018, de 5 de diciembre, de Protección de datos y garantía de derechos digitales" **(LOPD-GDD).**

✓ Que se materializa en una serie de derechos concretos, cuyo ejercicio es gratuito, los llamados derechos ARCO (Acceso, Rectificación, Cancelación y Oposición) y que comprende el **derecho a acceder** a los datos personales, el **derecho a rectificarlos**, el **derecho a cancelar o suprimirlos (derecho al olvido)** y el **derecho de oposición** al tratamiento o cesión. Pero el RGPD ha añadido el **derecho a limitar el acceso,** el **derecho a la portabilidad** de los datos propios, y el **derecho a no ser objeto de perfiles personales sobre los que se tomen decisiones automatizadas.**

✓ Que los datos personales deben ser tratados de manera lícita, leal y transparente en relación con el interesado; que sean adecuados, pertinentes y limitados a lo necesario en relación con los fines para los que son tratados (principio de «minimización de datos» o «de protección por defecto»). Que sean exactos y recogidos con fines determinados, explícitos y legítimos, y que no serán tratados ulteriormente de manera incompatible con dichos fines.

✓ Además, se debe tener una **responsabilidad proactiva** y, en ese sentido, toda la empresa debe estar implicada en el cumplimiento de la compleja normativa de protección de datos y te puede ayudar, a través de la Delegación de datos, **desde el diseño** (velando por el cumplimiento íntegro de la normativa de protección de datos desde antes de poner en marcha cualquier tratamiento de datos) y **por defecto** (ya que se deben tratar únicamente los datos que sean imprescindibles).

✓ **Que todo "tratamiento de datos" y toda "transferencia o cesión de datos" de datos personales debe tener su base en la "ley" o en un "consentimiento" inequívoco, en el que se informe de la finalidad del tratamiento y/cesión y del uso y destino que se va a hacer de los datos personales.**

✓ **Por "tratamiento** de datos" se entiende cualquier operación o conjunto de operaciones realizadas sobre datos personales, ya sea por procedimientos automatizados o no, como la recogida, el registro, la organización, la estructuración, etc., lo que afecta tanto a los ficheros informatizados o en soporte electrónico, como a los ficheros en papel. Mientas que "**la cesión"** de datos consiste en la transmisión de los mismos o el acceso no autorizado de terceros.

PARA PODER TRATAR Y/O CEDER DATOS PERSONALES HACE FALTA

✓ **O BIEN UNA *LEY* QUE LO AUTORICE**

✓ O BIEN UN ***CONSENTIMIENTO,***

ADEMÁS, EL CONSENTIMIENTO *NO PUEDE SER TÁCITO NI VENIR PREMARCADO,* Y TIENE QUE SER *"INFORMADO"* y *"TRANSPARENTE",* PUES TODA PERSONA, DENTRO DE SU "DERECHO A CONTROLAR Y A DECIDIR SOBRE EL USO DE SUS DATOS", TIENE QUE CONOCER Y COMPRENDER LA FINALIDAD Y UTILIDAD QUE REPORTA EL TRATAMIENTO Y LA CESIÓN DE SUS DATOS. Además, DICHO CONSENTIMIENTO SE PUEDE REVOCAR en cualquier momento.

Y se debe tener especial cuidado con aquellos supuestos en los que la ley permite el tratamiento, pero no la cesión. En estos casos, la cesión requiere de consentimiento.

✓ Que **los menores, pueden consentir, con carácter general, por sí solos si tienen 14 años.** Por tanto, los menores de 14 años requieren de consentimiento de sus representantes legales. Si solo se puede conseguir el consentimiento de uno de ellos, resulta conveniente que éste se responsabilice del consentimiento del otro representante legal del menor. **Y, excepcionalmente, la edad para consentir el tratamiento o la cesión de datos puede ser superior a 14 años**, cuando el acto o negocio jurídico exigen que el menor tenga una edad mayor para poder realizar válidamente dicho acto o negocio jurídico. Por ejemplo, **en el ámbito sanitario, la edad para que un menor consienta por sí solo es de 16 años.** Y se requiere de **18 años para enajenar o gravar bienes de extraordinario valor** (que no pueden realizar por sí solos ni tan siquiera los menores emancipados).

✓ Pero está prohibido cualquier tratamiento o cesión de datos y/o imágenes de un menor que atente, de manera objetiva, contra su **honor, intimidad y propia imagen.** En tales casos, **la obtención del consentimiento del propio menor o de sus representantes legales no sirve** para legitimar dicha intromisión ilegítima.

✓ **Que el "responsable de un tratamiento" (*controller*) es** la persona física o jurídica, autoridad pública, servicio u otro organismo que, solo o junto con otros, determine los fines y medios del tratamiento. Mientras que el "**encargado del tratamiento" *(processor*)** es la persona que trata o cede los datos siguiendo las indicaciones del responsable.

✓ En los ficheros y bases de datos, y sobre todo **en aquellas en las que para su elaboración intervienen varias empresas** o "*partners*", puede haber una titularidad (horizontal) conjunta o compartida del fichero o base de datos (siendo todos "corresponsables o cotitulares del fichero", *join controllers*) o puede haber un sistema vertical o piramidal, con un único responsable y varios encargados del tratamiento. En todos estos casos, **resulta conveniente realizar un contrato (artículo 28 RGPD)**, que delimite las titularidades, los ámbitos de gestión, la responsabilidad, el tratamiento y acceso a los datos, los deberes de confidencialidad, los actos ilícitos que pueda cometer y la coordinación en materia de seguridad y de información en caso de brechas de seguridad.

LA AEPD ofrece unas directrices para elaborar, contratos del artículo 28 RGPD en:

https://www.aepd.es/media/guias/guia-directrices-contratos.pdf

17. ¿CÓMO SE TIENE QUE LEGALIZAR UN FICHERO O TRATAMIENTO DE PROTECCIÓN DE DATOS?

✓ Si para cualquier ámbito de su actividad el empresario necesita desarrollar un fichero o base de datos (digitalizado o en papel) con datos personales o preparar un tratamiento de datos mediante formularios, encuestas..., con datos de personas identificadas directa o indirectamente, **la "legalización" de dicho fichero o tratamiento de datos personales ya no se produce mediante la "inscripción en el registro de la AEPD"** (Agencia Española de Protección de Datos).

✓ De hecho, **el Registro de la AEPD ya no existe** y, por ello, conviene que todos los que tuvieran inscritos sus ficheros en el Registro AEPD los legalicen adaptándolos al nuevo modelo.

✓ AHORA, EL SISTEMA DE LEGALIZACIÓN DE FICHEROS Y TRATAMIENOS EXIGE QUE CADA "RESPONSABLE DEL FICHERO" (*CONTROLLER*)
DEBA TENER Y LLEVE UN
"REGISTRO DE ACTIVIDADES DE TRATAMIENTO" ("RAT")
DE CADA FICHERO O TRATAMIENTO.

✓ Incluso **el "encargado de tratamiento" (*processo*r) también tiene que llevar su propio RAT** cuando sea necesario por la estructura o características del fichero o cuando lo exija el responsable (especialmente en virtud del contrato entre responsable y encargado del artículo 28 RGPD).

✓ De todos modos, si tienes curiosidad sobre cuál es el contenido y diseño de un registro de actividades de tratamiento, lo puedes ver en https://www.aepd.es/agencia/transparencia/inventario-actividades-tratamiento/index.html

✓ ADEMÁS, ALGUNOS FICHEROS
CREADOS DESPUÉS DEL 25 DE MAYO DEL 2018 CON DATOS ESPECIALES O SENSIBLES, REQUIEREN DE UN
"INFORME DE EVALUACIÓN DE IMPACTO"
QUE TIENE QUE SUPERVISAR EL
(DELEGADO DE PROTECCIÓN DE DATOS) DPD o DPO (en inglés)
Cuya función únicamente es asesorar, informar y orientar.

✓ EN CONCRETO, REQUIEREN DE INFORME DE EVALUACIÓN DE IMPACTO, **SEGÚN LISTADO DE LA AEPD, COMO UNA "LISTA NO EXHAUSTIVA"**, LOS SIGUIENTES FICHEROS O TRATAMIENTOS:

- ✓ **Tratamientos que impliquen *perfilado o valoración de sujetos***, incluida la recogida de datos del sujeto en múltiples ámbitos de su vida (desempeño en el trabajo, personalidad y comportamiento), que cubran varios aspectos de su personalidad o sobre sobre sus hábitos.
- ✓ ***Tratamientos que impliquen la toma de decisiones automatizadas o que contribuyan en gran medida a la toma de decisiones***, incluyendo

cualquier tipo de decisión que impida a un interesado el ejercicio de un derecho o el acceso a un bien o un servicio o formar parte de un contrato.

- ✓ Tratamientos que impliquen la ***observación, monitorización, supervisión, geolocalización o control del interesado*** de forma sistemática y exhaustiva, incluida la ***recogida de datos y metadatos a través de redes***, aplicaciones o en zonas de acceso público, así como el ***procesamiento de identificadores únicos que permitan la identificación de usuarios de servicios de la sociedad de la información como pueden ser los servicios web, tv interactiva, aplicaciones móviles***, etc.
- ✓ Tratamientos que impliquen el uso de categorías especiales de datos a las que se refiere el artículo 9.1 del RGPD (***datos de salud física y psíquica, orientación sexual, ideología***), ***datos relativos a condenas o infracciones penales a*** los que se refiere el **artículo 10 del RGPD** o datos que permitan determinar la ***situación financiera o de solvencia patrimonial*** o deducir información sobre las personas relacionada con categorías especiales de datos.
- ✓ Tratamientos que impliquen el uso de ***datos biométricos*** con el propósito de identificar de manera única a una persona física.
- ✓ Tratamientos que impliquen el uso de ***datos genéticos*** para cualquier fin.
- ✓ Tratamientos que impliquen el uso de datos a gran escala. Para determinar si un tratamiento se puede considerar a gran escala se considerarán los criterios establecidos en la guía WP243 "Directrices sobre los delegados de protección de datos (DPD)" del Grupo de Trabajo del Artículo 29.
- ✓ Tratamientos que impliquen la ***asociación, combinación o enlace de registros de bases de datos de dos o más tratamientos con finalidades diferentes*** o por responsables distintos.
- ✓ Tratamientos de datos de sujetos vulnerables o en riesgo de exclusión social, incluyendo ***datos de menores de 14 años, mayores con algún grado de discapacidad, discapacitados, personas que acceden a servicios sociales y víctimas de violencia de género***, así como sus descendientes y personas que estén bajo su guardia y custodia.

- ✓ ***Tratamientos que impliquen la utilización de nuevas tecnologías o un uso innovador de tecnologías consolidadas***, incluyendo la utilización de tecnologías a una nueva escala, con un nuevo objetivo o combinadas con otras, de forma que suponga nuevas formas de recogida y utilización de datos con riesgo para los derechos y libertades de las personas.
- ✓ ***Tratamientos de datos que impidan a los interesados ejercer sus derechos, utilizar un servicio o ejecutar un contrato***, como, por ejemplo, tratamientos en los que los datos han sido recopilados por un responsable distinto al que los va a tratar y aplica alguna de las excepciones sobre la información que debe proporcionarse a los interesados según el artículo 14.5 (b, c, d) del RGPD.

✓ **El Contenido del Informe de Evaluación de impacto (IEI), artículo 35.7 RGPD deberá incluir como mínimo:**

- ✓ Una ***descripción sistemática de las operaciones de tratamiento previstas y de los fines del tratamiento***, inclusive, cuando proceda, el interés legítimo perseguido por el responsable del tratamiento.
- ✓ Una ***evaluación de la necesidad y la proporcionalidad de las operaciones de tratamiento*** con respecto a su finalidad.
- ✓ Una **evaluación de los *riesgos para los derechos y libertades de los interesados*** y
- ✓ Las ***medidas previstas para afrontar los riesgos*, incluidas garantías, medidas de seguridad y mecanismos que garanticen la protección de datos personales**, y a **demostrar la conformidad con el RGPD,** teniendo en cuenta los derechos e intereses legítimos de los interesados y de otras personas afectadas.

RESUMIENDO

TODO FICHERO DE INVESTIGACIÓN *DEBE TENER SIEMPRE:*

✓ «RAT-REGISTRO DE ACTIVIDADES DE TRATAMIENTO»

Y, EN ALGUNOS CASOS,

✓ «INFORME DE EVALUACIÓN DE IMPACTO» O

✓ «CONTRATO DEL ART. 28 RGPD

ENTRE RESPONSABLE/S Y ENCARGADO/S».

18. ¿QUÉ FICHEROS O TRATAMIENTOS DE DATOS PERSONALES DE PROVEEDORES O CLIENTES NO NECESITAN UN REGISTRO DE ACTIVIDADES DE TRATAMIENTO?

✓ Obviamente **no todos los ficheros de protección de datos tienen que ser legalizados** con el nuevo sistema que consiste en la llevanza de un "registro de actividades de tratamiento" individualizado.

✓ Están **excluidos todos los ficheros de datos de personas jurídicas**, ya que el derecho de protección de datos se proyecta únicamente sobre personas físicas, y están excluidos, aunque dichos ficheros contengan también datos de personas físicas, pero siempre que dichos datos se incluyan a los meros efectos de poder contactar con las personas jurídicas.

✓ Tampoco requieren de legalización **los ficheros de datos no personales**, como, por ejemplo, los ficheros con datos medioambientales sobre el tiempo o el clima en las ciudades y poblaciones. **Los ficheros de datos no personales se rigen, además, por el principio de libre circulación de datos**, por lo que, si el responsable de dicho fichero decide compartirlos en la red, dichos datos engrosarían el llamado ***big data*.**

✓ Por último, tampoco requieren de legalización los **ficheros de uso exclusivamente personal o doméstico**, que no serán compartidos ni accesibles a terceros.

✓ Ni los **ficheros o tratamiento datos de personas anonimizadas**, porque la protección de datos se proyecta sobre las "personas identificadas o identificables". En consecuencia, si los datos de las personas incluidos en los ficheros no permiten su identificación individual, directa o indirecta (esto es, mediante un sencillo proceso de reidentificación o con datos como el "cargo" o "la fecha de nacimiento" que permitan identificar a las personas) **únicamente hay que informar de que los datos serán anonimizados y el uso y destino que se va a hacer con dichos datos anónimos**; pero no es necesario tener un RAT.

✓ Por ello la ***Unión Europea recomienda* que los ficheros de datos personales destinados a la inteligencia artificial sean principalmente ficheros anonimizados,** con un doble fin: evitar la compleja gestión en materia de protección de datos y favorecer la libre circulación de datos anonimizados en el ámbito del Big Data.

✓ Pero es muy importante distinguir correctamente entre "ANONIMIZACIÓN" y "SEUDONIMIZACIÓN".

✓ La **anonimización** existe cuando los datos personales se tratan (o se ceden) de modo que no es posible identificar, ni directa ni indirectamente (ni tan siquiera mediante un procedimiento de reidentificación) a las personas físicas titulares de los datos tratados.

✓ La **seudonimización**, según la RAE, es todo tratamiento de datos personales de manera tal que ya no puedan atribuirse a un interesado sin utilizar información adicional, siempre que dicha información adicional figure por separado y esté sujeta a medidas técnicas y organizativas destinadas a garantizar que los datos personales no se atribuyan a una persona física identificada o identificable (la palabra "seudoanonimización" es incorrecta).

✓ Por tanto, lo que diferencia la "anonimización" de la "seudonimización" es que esta última permite excepcionalmente la reidentificación, mientras que en la anonimización resultará absolutamente imposible reidentificar a las personas.

✓ La LOPD-GDD ha previsto que sea lícito el uso de datos personales seudonimizados con fines de investigación en salud y, en particular, biomédica.

✓ Es muy importante recordar que **el uso de datos personales seudonimizados con fines de investigación en salud pública y, en particular, biomédica deberá ser sometido siempre al informe previo del comité de ética o al control de un delegado de protección de datos** para comprobar las medidas de seguridad y confidencialidad respecto de los datos que permiten la reidentificación, y que dicha reidentificación se realice únicamente cuando se aprecie la existencia de un peligro real y concreto para la seguridad o salud de una persona o grupo de personas, o una amenaza grave para sus derechos, o sea necesaria para garantizar una adecuada asistencia sanitaria.

✓ **La LOPD-GDD ha previsto la posibilidad de "reutilizar" los datos de investigación con fines de salud** (física o mental) sin necesidad de obtener un nuevo consentimiento. En concreto, se considerará lícita y compatible la reutilización de datos personales con fines de investigación en materia de salud y biomedicina cuando, habiéndose obtenido el consentimiento para una finalidad concreta, se utilicen los datos para finalidades o áreas de investigación relacionadas con el área en la que se integrase científicamente el estudio inicial. Para ello es absolutamente **imprescindible contar con el informe previo favorable del DPD.**

> ✓ **CONVIENE RECORDAR QUE:**
> **TODO PROCESO DE SEUDONIMIZACIÓN**
> **PARA ELABORAR FICHEROS DE DATOS PERSONALES, ESPECIALMENTE**
> **en el ámbito de la biomedicina**
> **REQUIERE SIEMPRE DEL CONTROL Y LA APROBACIÓN DEL DPD**
> **si no pasan por un "COMITÉ DE ÉTICA"**
> **Y lo mismo ocurre si se quieren "REUTILIZAR" los datos para otros fines distintos, pero relacionados con el fin para el que se obtuvieron.**
> **Dicha reutilización no requiere de nuevo consentimiento, pero sí de su aprobación por el Comité de ética de investigación.**

19. ¿CÓMO SE DEBE PROTEGER UN SOFTWARE, UNA APP, UN VIDEOJUEGO O UN SISTEMA IA?

✓ **Los programas de ordenador, videojuegos las aplicaciones (apps) y los diferentes sistemas IA, al ser también un software, están protegidas por la ley de propiedad intelectual de la misma forma que si fuesen una obra literaria.** Pertenecen al autor por el mero hecho de la creación, que se produce cuando **el programa de ordenador está escrito en "código fuente".**

✓ De momento, **a falta de una regulación específica** de la propiedad intelectual respecto **de los sistemas de inteligencia** artificial, dichos sistemas y los concretos modelos **deben ser protegidos como software, a través del derecho de autor.**

✓ La **adecuada protección del código fuente** y de los algoritmos que se integran en el programa **durante su desarrollo, es básica, a través del "secreto comercial".** E incluso, una vez creado el software, se puede limitar el acceso al código fuente para impedir su copiado. Lo que **no se puede impedir es que un programador, visualizando la apariencia externa del programa, desarrolle un software idéntico o similar**, pero siempre que no sea con un "corta y pega" del código fuente.

✓ También **es importante, cuando son varias las personas que participan en el desarrollo de un software o de un sistema IA, que quede claro, a través de contratos y documentos de confidencialidad, la autoría conjunta,** ya sea como obra colectiva o en colaboración, o **la autoría individual**, así como la titularidad o cesión de los derechos de explotación sobre el programa de ordenador.

20. ¿CÓMO SE DEBE CUMPLIR CON LA NORMATIVA DE DERECHOS DE AUTOR Y PROPIEDAD INTELECTUAL AL DESARROLLAR O IMPLANTAR UN SISTEMA IA?

✓ **Para el entrenamiento de los sistemas de inteligencia artificial,** en lo que refiere a los datos de entrada que puede utilizar el sistema, **en la medida en que entre esos datos de entrada tome obras protegidas por el derecho de autor o la propiedad intelectual o bases de datos, haría falta una licencia o un consentimiento específico** para ello, **salvo que se tratase de una obra caída en dominio público o que estuviese amparado en el límite legal** que ha incluido el derecho comunitario en la directiva de derechos de autor en el mercado único digital.

✓ **Sin embargo, existe un límite previsto en la normativa europea** (en concreto, la Directiva de Derechos de autor en el mercado único digital) **que permite, sin autorización del autor, reproducir obras digitales, o bases de datos originales o *sui generis*, para aplicar técnicas analíticas automatizadas destinadas a analizar textos y datos** (minería de textos y minería de datos) a fin de entrenar los sistemas, **pero lo hace en dos niveles:**

✓ En favor de la **IA realizada por organismos de investigación, que no puede impedirse por los titulares del derecho de autor y propiedad intelectual**, y

✓ En favor de la industria IA, **que sí que puede impedirse, pues permite a los titulares de la propiedad intelectual oponerse a ello**, lo que obligaría a obtener su consentimiento.

✓ Eso sí, **la excepción** se autoriza respecto de los datos de entrada y para el entrenamiento de los sistemas de inteligencia artificial, pero **no permite en modo alguno que en los resultados de salida aparezcan reproducciones parciales y reconocibles de obras protegidas.**

DE MOMENTO, LOS SISTEMAS DE INTELIGENCIA ARTIFICIAL SE PROTEGEN COMO SOFTWARE A TRAVÉS DEL DERECHO DE AUTOR.

Pero los resultados de salida de un sistema de inteligencia artificial, especialmente si es un modelo de uso general, deben de respetar los derechos de autoría y de explotación de las obras protegidas, especialmente el derecho de reproducción de las obras, pues está prohibido hacer una "reproducción parcial" de una obra protegida sin consentimiento; por lo que si el resultado de salida que ofrece la inteligencia artificial es una reproducción de una obra protegida reconocible están infringiendo los derechos de autor.

La utilización de obras protegidas para los resultados de entrada de un sistema de inteligencia artificial también requiere de consentimiento o licencia, salvo que estén amparados por el derecho comunitario, como ocurre con los sistemas IA desarrollados por los organismos de investigación.

21. ¿QUÉ MEDIDAS DE SEGURIDAD SE DEBEN ADOPTAR PARA PROTEGER LAS IDEAS EMPRENDEDORAS Y LOS SECRETOS COMERCIALES?

✓ **Las ideas y los secretos empresarias tienen que estar alojados en servidores seguros.** Todas las páginas web y servicios de almacenamiento y de cloud deben estar en servidores seguros, y además, estar plenamente adaptados al Esquema Nacional de Seguridad o la ISO 2701.

✓ Además, la *Universitat de València* ha desarrollado unas medidas de seguridad de carácter personal, para ser observadas y aplicadas por cualquier persona con sus ficheros y documentos, que conviene que SEA CONOCIDO Y CUMPLIDO por todas las personas implicadas en el tratamiento; **dichas normas también pueden ser muy útiles para cualquier persona emprendedora para proteger sus ideas emprendedoras y secretos**

https://www.uv.es/ensuv/es/uvstic-seguridad-tecnologias-informacion-comunicaciones.html

✓ Una de las novedades más relevante que tiene el nuevo marco normativo de protección de datos es que **hay que informar *inmediatamente*,** en caso de "***brecha de seguridad***" sobre los ficheros propios, **al delegado de protección de datos (o al abogado experto)** de la institución, a fin de que éste pueda evaluar los riesgos, y decida si se tiene que comunicar a la Agencia Española de Protección de Datos y a los interesados afectados.

22. ¿QUÉ RESPONSABILIDAD EXISTE CUANDO SE SUFRE UNA BRECHA DE SEGURIDAD QUE ADEMÁS AFECTA A DATOS PERSONALES?

✓ **La «violación de la seguridad de los datos personales» "*personal data breach*" es toda violación de la seguridad que ocasione la destrucción, pérdida o alteración accidental o ilícita de datos personales transmitidos, conservados o tratados de otra forma, o la comunicación o acceso no autorizados a dichos datos.**

✓ El **responsable del tratamiento no puede quedar exonerado de la obligación de indemnizar los daños y perjuicios sufridos por una persona**, con arreglo al artículo 82 del Reglamento General de Protección de Datos, apartados 1 y 2, **por el mero hecho de acreditar que ha sufrido una brecha de seguridad de la que no es autor**, pues ese responsable debe demostrar, conforme al citado artículo 82, que "no es en modo alguno responsable del hecho que haya causado los daños y perjuicios en cuestión".

✓ La Ley Californiana de Protección de Datos (California Consumer Privacy Act) ya **reconoce un derecho a ser indemnizado por los daños sufridos como consecuencia del incumplimiento de las obligaciones relativas a mantener medidas de seguridad razonablemente adecuadas** ("***reasonable security procedures***"), por parte de la empresa cuando terceros hayan tenido acceso no autorizado a los datos personales, o hayan robado y/o difundido o revelado los datos personales.

✓ Una comunicación no autorizada de datos personales o un acceso no autorizado a tales datos por parte de «terceros», a los efectos del artículo 4, punto 10 RGPD (brecha de seguridad), **no bastan, por sí solos, para considerar que las medidas técnicas y organizativas adoptadas por el responsable del tratamiento de que se trate no eran «apropiadas»**

✓ El carácter **apropiado de las medidas técnicas y organizativas adoptadas por el responsable** del tratamiento en virtud de dicho artículo **debe ser apreciado** por los órganos jurisdiccionales nacionales **en cada caso concreto**, teniendo en cuenta los riesgos vinculados al tratamiento y apreciando si la naturaleza, el contenido y la adopción de esas medidas están adaptados a estos riesgos.

✓ El **responsable del tratamiento tiene la carga de la prueba del carácter apropiado de las medidas de seguridad** que ha adoptado con arreglo al artículo 32 del mencionado Reglamento, **sin que un simple informe pericial ordenado por el juez sea, por sí solo, prueba suficiente.**

✓ El **temor o sufrimiento** que experimenta un interesado a un **potencial uso indebido de sus datos personales por terceros** a raíz de una infracción del citado Reglamento **puede constituir, por sí solo, un «daño o perjuicio inmaterial»** a los efectos de la mencionada disposición. Pero **el daño moral debe considerarse "fundado" en hechos objetivos y no en meras conjeturas** (lo que será posible si esos datos "ciberocupados" se divulgan, algo que ocurre habitualmente en la red oscura) y **se debe probar la existencia de ese daño moral y cuantificarlo de forma razonada y razonable.**

LEY 1/2019, DE 20 DE FEBRERO, DE SECRETOS EMPRESARIALES

CAPÍTULO I
Disposiciones generales

Artículo 1. Objeto.

1. El objeto de la presente ley es la protección de los secretos empresariales.

A efectos de esta ley, se considera secreto empresarial cualquier información o conocimiento, incluido el tecnológico, científico, industrial, comercial, organizativo o financiero, que reúna las siguientes condiciones:

a) Ser secreto, en el sentido de que, en su conjunto o en la configuración y reunión precisas de sus componentes, no es generalmente conocido por las personas pertenecientes a los círculos en que normalmente se utilice el tipo de información o conocimiento en cuestión, ni fácilmente accesible para ellas;

b) tener un valor empresarial, ya sea real o potencial, precisamente por ser secreto, y

c) haber sido objeto de medidas razonables por parte de su titular para mantenerlo en secreto.

2. La protección se dispensa al titular de un secreto empresarial, que es cualquier persona física o jurídica que legítimamente ejerza el control sobre el mismo, y se extiende frente a cualquier modalidad de obtención, utilización o revelación de la información constitutiva de aquél que resulte ilícita o tenga un origen ilícito con arreglo a lo previsto en esta ley.

3. La protección de los secretos empresariales no afectará a la autonomía de los interlocutores sociales o a su derecho a la negociación colectiva. Tampoco podrá restringir la movilidad de los trabajadores; en particular, no podrá servir de base para justificar limitaciones del uso por parte de estos de experiencia y competencias adquiridas honestamente durante el normal transcurso de su carrera profesional o de información que no reúna todos los

requisitos del secreto empresarial, ni para imponer en los contratos de trabajo restricciones no previstas legalmente.

Asimismo, lo dispuesto en esta ley se entenderá sin perjuicio de lo previsto en el Título IV de la Ley 24/2015, de 24 de julio, de Patentes.

CAPÍTULO II
Obtención, utilización y revelación de secretos empresariales

Artículo 2. Obtención, utilización y revelación lícitas de secretos empresariales.

1. La obtención de la información constitutiva del secreto empresarial se considera lícita cuando se realice por alguno de los medios siguientes:

a) El descubrimiento o la creación independientes;

b) La observación, estudio, desmontaje o ensayo de un producto u objeto que se haya puesto a disposición del público o esté lícitamente en posesión de quien realiza estas actuaciones, sin estar sujeto a ninguna obligación que válidamente le impida obtener de este modo la información constitutiva del secreto empresarial;

c) El ejercicio del derecho de los trabajadores y los representantes de los trabajadores a ser informados y consultados, de conformidad con el Derecho europeo o español y las prácticas vigentes;

d) Cualquier otra actuación que, según las circunstancias del caso, resulte conforme con las prácticas comerciales leales, incluidas la transferencia o cesión y la licencia contractual del secreto empresarial, de acuerdo con el Capítulo III.

2. La obtención, utilización o revelación de un secreto empresarial se consideran lícitas en los casos y términos en los que el Derecho europeo o español lo exija o permita.

3. En todo caso, no procederán las acciones y medidas previstas en esta ley cuando se dirijan contra actos de obtención, utilización o revelación de un secreto empresarial que hayan tenido lugar en cualquiera las circunstancias siguientes:

a) En ejercicio del derecho a la libertad de expresión e información recogido en la Carta de los Derechos Fundamentales de la Unión Europea, incluido el respeto a la libertad y al pluralismo de los medios de comunicación;

b) Con la finalidad de descubrir, en defensa del interés general, alguna falta, irregularidad o actividad ilegal que guarden relación directa con dicho secreto empresarial;

c) Cuando los trabajadores lo hayan puesto en conocimiento de sus representantes, en el marco del ejercicio legítimo por parte de estos de las funciones que tienen legalmente atribuidas por el Derecho europeo o español, siempre que tal revelación fuera necesaria para ese ejercicio;

d) Con el fin de proteger un interés legítimo reconocido por el Derecho europeo o español. En particular, no podrá invocarse la protección dispensada por esta ley para obstaculizar la aplicación de la normativa que exija a los titulares de secretos empresariales divulgar información o comunicarla a las autoridades administrativas o judiciales en el ejercicio de las funciones de éstas, ni para impedir la aplicación de la normativa que prevea la revelación por las autoridades públicas europeas o españolas, en virtud de las obligaciones o prerrogativas que les hayan sido conferidas por el Derecho europeo o español, de la información presentada por las empresas que obre en poder de dichas autoridades.

Artículo 3. Violación de secretos empresariales.

1. La obtención de secretos empresariales sin consentimiento de su titular se considera ilícita cuando se lleve a cabo mediante:

a) El acceso, apropiación o copia no autorizadas de documentos, objetos, materiales, sustancias, ficheros electrónicos u otros soportes, que contengan el secreto empresarial o a partir de los cuales se pueda deducir; y

b) Cualquier otra actuación que, en las circunstancias del caso, se considere contraria a las prácticas comerciales leales.

2. La utilización o revelación de un secreto empresarial se consideran ilícitas cuando, sin el consentimiento de su titular, las realice quien haya obtenido el secreto empresarial de forma ilícita, quien haya incumplido un acuerdo de confidencialidad o cualquier otra obligación de no revelar el secreto empresarial, o quien haya incumplido una obligación contractual o de cualquier otra índole que limite la utilización del secreto empresarial.

3. La obtención, utilización o revelación de un secreto empresarial se consideran asimismo ilícitas cuando la persona que las realice, en el momento de hacerlo, sepa o, en las circunstancias del caso, debiera haber sabido que obtenía el secreto empresarial directa o indirectamente de quien lo utilizaba o revelaba de forma ilícita según lo dispuesto en el apartado anterior.

4. La producción, oferta o comercialización de mercancías infractoras o su importación, exportación o almacenamiento con tales fines constituyen utilizaciones ilícitas de un secreto empresarial cuando la persona que las realice sepa o, en las circunstancias del caso, debiera haber sabido que el secreto empresarial que incorporan se había utilizado de forma ilícita en el sentido de lo dispuesto en el apartado 2.

A efectos de la presente ley, se consideran mercancías infractoras aquellos productos y servicios cuyo diseño, características, funcionamiento, proceso de producción, o comercialización se benefician de manera significativa de secretos empresariales obtenidos, utilizados o revelados de forma ilícita.

CAPÍTULO III
El secreto empresarial como objeto del derecho de propiedad

Artículo 4. Transmisibilidad del secreto empresarial.

El secreto empresarial es transmisible.

En la transmisión habrán de observarse, cuando resulten aplicables por la naturaleza del secreto empresarial, los reglamentos de la Unión Europea relativos a la aplicación del apartado 3 del artículo 101 del Tratado de Funcionamiento de la Unión Europea a determinadas categorías de acuerdos de transferencia de tecnología.

Artículo 5. Cotitularidad.

1. El secreto empresarial podrá pertenecer proindiviso a varias personas. La comunidad resultante se regirá por lo acordado entre las partes, en su defecto por lo dispuesto en los apartados siguientes y, en último término, por las normas de derecho común sobre la comunidad de bienes.

2. Cada uno de los partícipes por sí solo podrá:

a) Explotar el secreto empresarial previa notificación a los demás cotitulares.

b) Realizar los actos necesarios para la conservación del secreto empresarial como tal.

c) Ejercitar las acciones civiles y criminales en defensa del secreto empresarial, pero deberá notificarlo a los demás comuneros, a fin de que éstos puedan sumarse a las mismas, contribuyendo en tal supuesto al pago de los gastos habidos. En todo caso, si la acción resultase útil a la comunidad, todos los partícipes deberán contribuir al pago de dichos gastos.

3. La cesión del secreto empresarial o la concesión de licencia a un tercero para explotarlo deberá ser otorgada conjuntamente por todos los partícipes, a no ser que el órgano jurisdiccional por razones de equidad, dadas las circunstancias del caso, faculte a alguno de ellos para realizar la cesión o concesión mencionadas.

Artículo 6. Licencias de secretos empresariales.

1. El secreto empresarial puede ser objeto de licencia con el alcance objetivo, material, territorial y temporal que en cada caso se pacte. Salvo pacto en contrario, el titular de una licencia contractual tendrá derecho a realizar todos los actos que integran la utilización del secreto empresarial.

2. La licencia puede ser exclusiva o no exclusiva. Se presumirá que la licencia es no exclusiva y que el licenciante puede otorgar otras licencias o utilizar por sí mismo el secreto empresarial. La licencia exclusiva impide el otorgamiento de otras licencias y el licenciante sólo podrá utilizar el secreto empresarial si en el contrato se hubiera reservado expresamente ese derecho.

3. El titular de una licencia contractual no podrá cederla a terceros, ni conceder sublicencias, a no ser que se hubiere convenido lo contrario.

4. El licenciatario o sublicenciatario estará obligado a adoptar las medidas necesarias para evitar la violación del secreto empresarial.

Artículo 7. Transmisión o licencia sin titularidad o facultades.

Quien transmita a título oneroso un secreto empresarial u otorgue una licencia sobre el mismo responderá, salvo pacto en contrario, frente al adquirente de los daños que le cause, si posteriormente se declarara que carecía de la titularidad o de las facultades necesarias para la realización del negocio de que se trate. Responderá siempre cuando hubiera actuado de mala fe.

CAPÍTULO IV
Acciones de defensa de los secretos empresariales

Artículo 8. Defensa de los secretos empresariales.

Contra los infractores de un secreto empresarial podrán ejercitarse las acciones que correspondan, cualquiera que sea su clase y naturaleza, y exigir la adopción de las medidas necesarias para su protección.

A los efectos de esta norma se considerará infractor a toda persona física o jurídica que realice cualquier acto de violación de los enunciados en el artículo 3.

Asimismo, con las particularidades previstas en el artículo 9.7, dichas acciones podrán dirigirse frente a los terceros adquirentes de buena fe, entendiéndose por tales, a los efectos de la presente ley, quienes en el momento de la utilización o de la revelación no sabían o, en las circunstancias del caso, no hubieran debido saber que habían obtenido el secreto empresarial directa o indirectamente de un infractor.

Artículo 9. Acciones civiles.

1. Contra los actos de violación de secretos empresariales podrán, en especial, solicitarse:

a) La declaración de la violación del secreto empresarial.

b) La cesación o, en su caso, la prohibición de los actos de violación del secreto empresarial.

c) La prohibición de fabricar, ofrecer, comercializar o utilizar mercancías infractoras o de su importación, exportación o almacenamiento con dichos fines.

d) La aprehensión de las mercancías infractoras, incluida la recuperación de las que se encuentren en el mercado, y de los medios destinados únicamente a su producción, siempre que tal recuperación no menoscabe la protección del secreto comercial en cuestión, con una de las siguientes finalidades: su modificación para eliminar las características que determinen que las mercancías sean infractoras, o que los medios estén destinados únicamente a su producción, su destrucción o su entrega a entidades benéficas.

e) La remoción, que comprende la entrega al demandante de la totalidad o parte de los documentos, objetos, materiales, sustancias, ficheros electrónicos y cualesquiera otros soportes que contengan el secreto empresarial, y en su caso su destrucción total o parcial.

f) La atribución en propiedad de las mercancías infractoras al demandante, en cuyo caso el valor de las mercancías entregadas podrá imputarse al importe de la indemnización de daños y perjuicios debida, sin perjuicio de la subsistencia de la responsabilidad del infractor en lo que se refiere a la cuantía indemnizatoria que exceda del referido valor. Si el valor de las mercancías excede del importe de la indemnización, el demandante deberá compensarlo a la otra parte.

g) La indemnización de los daños y perjuicios, si ha intervenido dolo o culpa del infractor, que será adecuada respecto de la lesión realmente sufrida como consecuencia de la violación del secreto empresarial.

h) La publicación o difusión completa o parcial de la sentencia, que deberá preservar en todo caso la confidencialidad del secreto empresarial en los términos del artículo 15 de esta ley.

2. Las medidas adoptadas en virtud de las letras d), e) y h) del apartado anterior se ejecutarán a expensas del infractor, salvo que por excepción haya motivos para que deba ser de otro modo, y no restringen el derecho a la indemnización de daños y perjuicios que pueda ostentar el demandante.

3. Para determinar las medidas que se acuerden por virtud de las acciones del apartado 1, se tendrá en cuenta su proporcionalidad y las circunstancias del caso, y entre ellas el valor y otras características del secreto empresarial en cuestión, las medidas adoptadas para su protección, el comportamiento del infractor, las consecuencias de la violación del secreto empresarial, la probabilidad de que el infractor persista en la violación, los intereses legítimos de las partes, las consecuencias que podría tener para las partes que se estimen o no las acciones ejercitadas, los intereses legítimos de terceros, el interés público y la salvaguarda de los derechos fundamentales.

A los efectos de la publicación o difusión de la sentencia, los jueces y tribunales también tendrán en cuenta si la información relativa al infractor permitiría identificar a una persona física y, de ser así, si se justifica la publicación de dicha información, atendiendo, en particular, al posible perjuicio que esa medida pudiera ocasionar a la intimidad y reputación del infractor condenado.

4. Cuando la sentencia limite la duración de la cesación y prohibición que ordene, dicha duración deberá ser suficiente para eliminar cualquier ventaja competitiva o económica que el infractor hubiera podido extraer de la violación del secreto empresarial.

5. Las medidas de cesación y prohibición dejarán de tener efecto, a instancia de parte, cuando la información en cuestión deje de constituir un secreto empresarial por causas que no puedan atribuirse directa o indirectamente al infractor condenado.

6. En los supuestos de las letras a) a f) del apartado 1, la sentencia fijará, si así hubiera sido solicitado por el actor, la cuantía líquida de una indemnización coercitiva a favor del demandante, adecuada a las circunstancias, por día transcurrido hasta que se produzca el cumplimiento de la sentencia. Su importe se acumulará al que corresponda percibir al demandante con carácter general. Al solicitar la ejecución se podrá pedir que se entienda ampliada a los sucesivos incumplimientos, en los términos previstos en el artículo 578 de la Ley 1/2000, de 7 de enero, de Enjuiciamiento Civil.

7. A petición de la parte demandada, cuando sea un tercer adquirente de buena fe, las medidas objeto de las acciones del apartado 1 podrán sustituirse por el pago a favor de la parte demandante de una indemnización pecuniaria, siempre que ésta resulte razonablemente satisfactoria y la ejecución de aquellas medidas hubiera de causar a la parte demandada un perjuicio desproporcionado. La indemnización pecuniaria que sustituya a la cesación o prohibición no excederá del importe que habría habido que pagar al titular del secreto empresarial por la concesión de una licencia que habría permitido utilizarlo durante el período en el que su utilización hubiera podido prohibirse.

Artículo 10. Cálculo de los daños y perjuicios.

1. Al fijarse la indemnización de daños y perjuicios se tendrán en cuenta todos los factores pertinentes, como son los perjuicios económicos, incluido el lucro cesante, que haya sufrido el titular del secreto empresarial, el enriquecimiento injusto obtenido por el infractor y, cuando proceda, otros elementos que no sean de orden económico, como el perjuicio moral causado

al titular del secreto empresarial por su obtención, utilización o revelación ilícitas. También podrán incluirse, en su caso, los gastos de investigación en los que se haya incurrido para obtener pruebas razonables de la comisión de la infracción objeto del procedimiento judicial.

Con carácter alternativo, se podrá fijar, según los casos, una cantidad a tanto alzado en concepto de indemnización de daños y perjuicios, atendiendo, al menos y entre otros aspectos, al importe que la parte demandada habría tenido que pagar al titular del secreto empresarial por la concesión de una licencia que le hubiera permitido utilizarlo durante el período en el que su utilización podría haberse prohibido.

2. En relación con el cálculo y liquidación de los daños y perjuicios, será de aplicación lo dispuesto en el artículo 73 de la Ley de Patentes. Asimismo, las diligencias para este fin se llevarán a cabo a partir de las bases fijadas en la sentencia conforme al procedimiento previsto en el Capítulo IV del Título V del Libro III de la Ley de Enjuiciamiento Civil.

Artículo 11. Prescripción.

Las acciones de defensa de los secretos empresariales prescriben por el transcurso de tres años desde el momento en que el legitimado tuvo conocimiento de la persona que realizó la violación del secreto empresarial. Su prescripción se interrumpirá por las causas previstas con carácter general en el Código Civil.

CAPÍTULO V
Jurisdicción y normas procesales

Sección 1.ª Disposiciones generales

Artículo 12. Jurisdicción y procedimiento.

Los litigios civiles que puedan surgir al amparo de la presente ley se conocerán por los jueces y tribunales del orden jurisdiccional civil y se resolverán en el juicio que corresponda conforme a la Ley de Enjuiciamiento Civil.

Artículo 13. Legitimación para el ejercicio de las acciones.

1. Estarán legitimados para el ejercicio de las acciones de defensa previstas en esta ley el titular del secreto empresarial y quienes acrediten haber obteni-

do una licencia exclusiva o no exclusiva para su explotación que les autorice expresamente dicho ejercicio.

2. El titular de una licencia exclusiva o no exclusiva para la explotación de un secreto empresarial que no esté legitimado para el ejercicio de las acciones de defensa según lo dispuesto en el apartado anterior, podrá requerir fehacientemente al titular del mismo para que entable la acción judicial correspondiente. Si el titular se negara o no ejercitara la oportuna acción dentro de un plazo de tres meses, podrá el licenciatario entablarla en su propio nombre, acompañando el requerimiento efectuado. Con anterioridad al transcurso del plazo mencionado, el licenciatario podrá pedir al juez la adopción de medidas cautelares urgentes cuando justifique la necesidad de las mismas para evitar un daño importante, con presentación del referido requerimiento.

3. El licenciatario que ejercite una acción en virtud de lo dispuesto en alguno de los apartados anteriores deberá notificárselo fehacientemente al titular del secreto empresarial, el cual podrá personarse e intervenir en el procedimiento, ya sea como parte en el mismo o como coadyuvante.

Artículo 14. Competencia.

Será territorialmente competente para conocer de las acciones previstas en esta ley el Juzgado de lo Mercantil correspondiente al domicilio del demandado o, a elección del demandante, el Juzgado de lo Mercantil de la provincia donde se hubiera realizado la infracción o se hubieran producido sus efectos.

Artículo 15. Tratamiento de la información que pueda constituir secreto empresarial.

1. Las partes, sus abogados o procuradores, el personal de la Administración de Justicia, los testigos, los peritos y cualesquiera otras personas que intervengan en un procedimiento relativo a la violación de un secreto empresarial, o que tengan acceso a documentos obrantes en dicho procedimiento por razón de su cargo o de la función que desempeñan, no podrán utilizar ni revelar aquella información que pueda constituir secreto empresarial y que los jueces o tribunales, de oficio o a petición debidamente motivada de cualquiera de las partes, hayan declarado confidencial y del que hayan tenido conocimiento a raíz de dicha intervención o de dicho acceso.

Esta prohibición estará en vigor incluso tras la conclusión del procedimiento, salvo que por sentencia firme se concluya que la información en cuestión no constituye secreto empresarial o, con el tiempo, pase a ser de conocimiento general o fácilmente accesible en los círculos en que normalmente se utilice.

2. Los jueces y tribunales podrán asimismo, de oficio o previa solicitud motivada de una de las partes, adoptar las medidas concretas necesarias para preservar la confidencialidad de la información que pueda constituir secreto empresarial y haya sido aportada a un procedimiento relativo a la violación de secretos empresariales o a un procedimiento de otra clase en el que sea necesaria su consideración para resolver sobre el fondo.

Las medidas a las que se refiere el párrafo anterior podrán incluir, entre otras que sean adecuadas y proporcionadas, las siguientes:

a) Restringir a un número limitado de personas el acceso a cualquier documento, objeto, material, sustancia, fichero electrónico u otro soporte que contenga información que pueda constituir en todo o en parte secreto empresarial;

b) Restringir a un número limitado de personas el acceso a las vistas, cuando en ellas pueda revelarse información que pueda constituir en todo o en parte secreto empresarial, así como el acceso a las grabaciones o transcripciones de estas vistas;

c) Poner a disposición de toda persona que no esté incluida entre el limitado número de personas al que se hace referencia en las letras a) y b) una versión no confidencial de la resolución judicial que se dicte, de la que se hayan eliminado o en la que se hayan ocultado los pasajes que contengan información que pueda constituir secreto empresarial.

La determinación del número de personas al que se hace referencia en las letras a) y b) de este apartado habrá de respetar el derecho de las partes a la tutela judicial efectiva y a un juez imparcial, e incluirá, al menos, una persona física de cada una de las partes y sus respectivos abogados y procuradores.

En todo caso, la adopción, contenido y circunstancias de las medidas para preservar la confidencialidad de la información previstas en este apartado tendrá en cuenta los intereses legítimos de las partes y de los terceros así como el perjuicio que pudiera ocasionárseles, y habrá de respetar el derecho de las partes a la tutela judicial efectiva y a un juez imparcial.

3. Todo tratamiento de datos de carácter personal que deba efectuarse en virtud de los apartados precedentes se llevará a cabo de conformidad con la normativa de la Unión Europea y española en materia de protección de datos de carácter personal.

Artículo 16. Incumplimiento de la buena fe procesal.

Los intervinientes en procesos de acciones por violación de secretos empresariales deberán ajustarse a las reglas de la buena fe procesal en los términos previstos en el artículo 247 de la Ley de Enjuiciamiento Civil. Como especialidad frente a lo estipulado en el apartado 3 de dicho artículo, la multa que podrá imponerse a la parte demandante que haya ejercido la acción de forma abusiva o de mala fe, podrá alcanzar, sin otro límite, la tercera parte de la cuantía del litigio, tomándose en consideración a los efectos de su fijación, entre otros criterios, la gravedad del perjuicio ocasionado, la naturaleza e importancia de la conducta abusiva o de mala fe, la intencionalidad y el número de afectados. Además, los jueces y tribunales podrán ordenar la difusión de la resolución en que se constate ese carácter abusivo y manifiestamente infundado de la demanda interpuesta.

Sección 2.ª Diligencias para la preparación del ejercicio de acciones de defensa de los secretos empresariales

Artículo 17. Diligencias de comprobación de hechos.

Quien vaya a ejercitar una acción civil de defensa de secretos empresariales podrá solicitar del Juzgado de lo Mercantil que haya de entender de ella la práctica de diligencias de comprobación de aquellos hechos cuyo conocimiento resulte indispensable para preparar la correspondiente demanda. Estas diligencias de comprobación se regirán por lo previsto en el Capítulo II del Título XII de la Ley de Patentes.

Artículo 18. Acceso a fuentes de prueba.

Quien ejercite o vaya a ejercitar una acción civil de defensa de secretos empresariales podrá solicitar del Juzgado de lo Mercantil que haya de entender de ella la adopción de medidas de acceso a fuentes de prueba por los cauces previstos en los artículos 283 bis a) a 283 bis h) y 283 bis k), de la Ley de Enjuiciamiento Civil.

Artículo 19. Medidas de aseguramiento de la prueba.

Quien ejercite o vaya a ejercitar una acción civil de defensa de secretos empresariales podrá solicitar del Juzgado de lo Mercantil que haya de entender de ella, de conformidad con el artículo 297 de la Ley de Enjuiciamiento Civil, la adopción de las medidas de aseguramiento de la prueba que se consideren oportunas, en particular las mencionadas en el párrafo segundo del apartado 2 del citado artículo.

Sección 3.ª Medidas cautelares

Artículo 20. Petición y régimen de las medidas cautelares.

Quien ejercite o vaya a ejercitar una acción civil de defensa de secretos empresariales podrá solicitar del órgano judicial que haya de entender de ella la adopción de medidas cautelares tendentes a asegurar la eficacia de dicha acción, que se regirán por lo previsto en esta ley y, en lo demás, por lo dispuesto en el Capítulo III del Título XII de la Ley de Patentes y en el Título VI del Libro III de la Ley de Enjuiciamiento Civil.

Artículo 21. Posibles medidas cautelares.

Podrán adoptarse como medidas cautelares contra el presunto infractor las que aseguren debidamente la completa efectividad del eventual fallo que en su día recaiga y, en especial, las siguientes:

a) El cese o, en su caso, prohibición de utilizar o revelar el secreto empresarial;

b) El cese o, en su caso, prohibición de producir, ofrecer, comercializar o utilizar mercancías infractoras o de importar, exportar o almacenar mercancías infractoras con tales fines;

c) La retención y depósito de mercancías infractoras;

d) El embargo preventivo de bienes, para el aseguramiento de la eventual indemnización de daños y perjuicios.

Artículo 22. Presupuestos.

Al verificar la concurrencia de los presupuestos generales de las medidas cautelares, el tribunal habrá de examinar especialmente las circunstancias específicas del caso y su proporcionalidad teniendo en cuenta el valor y otras características del secreto empresarial, las medidas adoptadas para protegerlo, el comportamiento de la parte contraria en su obtención, utilización o revelación, las consecuencias de su utilización o revelación ilícitas, los intereses legítimos de las partes y las consecuencias para estas de la adopción o de la falta de adopción de las medidas, los intereses legítimos de terceros, el interés público y la necesidad de salvaguardar los derechos fundamentales.

Artículo 23. Solicitud de caución sustitutoria por el demandado.

El demandado podrá solicitar la sustitución de la efectividad de las medidas cautelares acordadas por la prestación por su parte de una caución suficiente, de conformidad con lo dispuesto en el artículo 129 de la Ley de Patentes y en los artículos 746 y 747 de la Ley de Enjuiciamiento Civil.

Como excepción, en ningún caso se admitirá que el demandado sustituya por caución las medidas cautelares dirigidas a evitar la revelación de secretos empresariales.

Artículo 24. Alzamiento de las medidas cautelares en caso de desaparición sobrevenida del secreto empresarial.

A instancia de la parte demandada se alzarán las medidas cautelares previstas en las letras a), b) y c) del artículo 21 si la información en relación con la cual se interpuso la demanda ha dejado de reunir los requisitos para ser considerada secreto empresarial, por motivos que no puedan imputarse a aquella.

Artículo 25. Caución exigible al demandante.

1. El solicitante de la medida cautelar deberá prestar caución suficiente para responder, de manera rápida y efectiva, de los daños y perjuicios que la adopción de la medida cautelar pudiera causar al patrimonio del demandado, de conformidad con lo dispuesto en el artículo 728.3 de la Ley de Enjuiciamiento Civil.

2. A los efectos de determinar la caución, el tribunal habrá de valorar los potenciales perjuicios que las medidas cautelares puedan ocasionar a los terceros que resulten afectados desfavorablemente por aquellas. A los efectos de lo dispuesto en el apartado siguiente, no podrá cancelarse la caución en tanto no haya transcurrido un año desde el alzamiento de las medidas cautelares.

3. Los terceros que hayan resultado afectados desfavorablemente por las medidas cautelares adoptadas en virtud de lo dispuesto en esta sección y que

hayan sido alzadas debido a un acto u omisión del demandante, o por haberse constatado posteriormente que la obtención, utilización o revelación del secreto empresarial no fueron ilícitas o no existía,riesgo de tal ilicitud, podrán reclamar la indemnización de los daños y perjuicios conforme a lo establecido en el Capítulo IV del Título V del Libro III de la Ley de Enjuiciamiento Civil, aun no habiendo sido parte en el proceso declarativo. En tal caso, podrán solicitar que la caución a que se refiere el apartado anterior se mantenga, total o parcialmente, en tanto no se dicte resolución, siempre que la solicitud de indemnización se interponga dentro del plazo establecido en el apartado anterior.

Disposición transitoria única. Régimen transitorio.

1. La presente ley será de aplicación para la protección de cualesquiera secretos empresariales, con independencia de la fecha en que se hubiere adquirido legítimamente la titularidad sobre ellos.

2. Las acciones de defensa de los secretos empresariales que se hubieran iniciado antes de la entrada en vigor de esta ley se seguirán por el mismo procedimiento con arreglo al cual se hubieran incoado.

Disposición final primera. (...)

Disposición final segunda. Modificación de la Ley 3/1991, de 10 de enero, de Competencia Desleal.

El artículo 13 de la Ley 3/1991, de 10 de enero, de Competencia Desleal queda redactado como sigue:

«Artículo 13. Violación de secretos.

Se considera desleal la violación de secretos empresariales, que se regirá por lo dispuesto en la legislación de secretos empresariales.»

Disposición final tercera. Habilitación para aprobar un texto refundido de la Ley 22/2003, de 9 de julio, Concursal.

Al objeto de consolidar en un texto único las modificaciones incorporadas desde su entrada en vigor a la Ley 22/2003, de 9 de julio, Concursal, se autoriza al Gobierno para elaborar y aprobar, a propuesta de los Ministros de Justicia y de Economía y Empresa, en un plazo de ocho meses a contar desde la entrada en vigor de la presente ley, un texto refundido de la citada norma.

Esta autorización incluye la facultad de regularizar, aclarar y armonizar los textos legales que deban ser refundidos.

Disposición final cuarta. Título competencial.

Esta ley se dicta al amparo de la competencia estatal prevista por el artículo 149.1.9.ª de la Constitución en materia de legislación sobre propiedad industrial, salvo los artículos 1.3 y 2.3.c), que se dictan al amparo del artículo 149.1.7.ª de la Constitución, que reconoce la competencia estatal sobre la legislación laboral, y el Capítulo V que se ampara en el artículo 149.1.6.ª de la Constitución que atribuye al Estado la competencia sobre legislación procesal.

Disposición final quinta. Incorporación de Derecho de la Unión Europea.

Mediante esta ley se incorpora al Derecho español la Directiva (UE) 2016/943 del Parlamento Europeo y del Consejo, de 8 de junio de 2016, relativa a la protección de los conocimientos técnicos y la información empresarial no divulgados (secretos comerciales) contra su obtención, utilización y revelación ilícitas.

Disposición final sexta. Entrada en vigor.

La presente ley entrará en vigor a los veinte días de su publicación en el «Boletín Oficial del Estado». **(entrada en vigor, 13 de marzo de 2019)**

LEY DE PROPIEDAD INTELECTUAL (EXTRACTO)

(Real Decreto Legislativo 1/1996, de 12 de abril, por el que se aprueba el texto refundido de la ley de propiedad intelectual, regularizando, aclarando y armonizando las disposiciones legales vigentes sobre la materia)

LIBRO PRIMERO
De los derechos de autor

TÍTULO I
Disposiciones generales

Artículo 1. Hecho generador.

La propiedad intelectual de una obra literaria, artística o científica corresponde al autor por el solo hecho de su creación.

Artículo 2. Contenido.

La propiedad intelectual está integrada por derechos de carácter personal y patrimonial, que atribuyen al autor la plena disposición y el derecho exclusivo a la explotación de la obra, sin más limitaciones que las establecidas en la Ley.

Artículo 3. Características.

Los derechos de autor son independientes, compatibles y acumulables con:

1.º La propiedad y otros derechos que tengan por objeto la cosa material a la que está incorporada la creación intelectual.

2.º Los derechos de propiedad industrial que puedan existir sobre la obra.

3.º Los otros derechos de propiedad intelectual reconocidos en el Libro II de la presente Ley.

Artículo 4. Divulgación y publicación.

A efectos de lo dispuesto en la presente Ley, se entiende por divulgación de una obra toda expresión de la misma que, con el consentimiento del autor, la haga accesible por primera vez al público en cualquier forma; y por publicación, la divulgación que se realice mediante la puesta a disposición del público de un número de ejemplares de la obra que satisfaga razonablemente sus necesidades estimadas de acuerdo con la naturaleza y finalidad de la misma.

TÍTULO II
Sujeto, objeto y contenido

CAPÍTULO I
Sujetos

Artículo 5. Autores y otros beneficiarios.

1. Se considera autor a la persona natural que crea alguna obra literaria, artística o científica.

2. No obstante, de la protección que esta Ley concede al autor se podrán beneficiar personas jurídicas en los casos expresamente previstos en ella.

Artículo 6. Presunción de autoría, obras anónimas o seudónimas.

1. Se presumirá autor, salvo prueba en contrario, a quien aparezca como tal en la obra, mediante su nombre, firma o signo que lo identifique.

2. Cuando la obra se divulgue en forma anónima o bajo seudónimo o signo, el ejercicio de los derechos de propiedad intelectual corresponderá a la persona natural o jurídica que la saque a la luz con el consentimiento del autor, mientras éste no revele su identidad.

Artículo 7. Obra en colaboración.

1. Los derechos sobre una obra que sea resultado unitario de la colaboración de varios autores corresponden a todos ellos.

2. Para divulgar y modificar la obra se requiere el consentimiento de todos los coautores. En defecto de acuerdo, el Juez resolverá.

Una vez divulgada la obra, ningún coautor puede rehusar injustificadamente su consentimiento para su explotación en la forma en que se divulgó.

3. A reserva de lo pactado entre los coautores de la obra en colaboración, éstos podrán explotar separadamente sus aportaciones, salvo que causen perjuicio a la explotación común.

4. Los derechos de propiedad intelectual sobre una obra en colaboración corresponden a todos los autores en la proporción que ellos determinen. En lo no previsto en esta Ley, se aplicarán a estas obras las reglas establecidas en el Código Civil para la comunidad de bienes.

Artículo 8. Obra colectiva.

Se considera obra colectiva la creada por la iniciativa y bajo la coordinación de una persona natural o jurídica que la edita y divulga bajo su nombre y está constituida por la reunión de aportaciones de diferentes autores cuya contribución personal se funde en una creación única y autónoma, para la cual haya sido concebida sin que sea posible atribuir separadamente a cualquiera de ellos un derecho sobre el conjunto de la obra realizada.

Salvo pacto en contrario, los derechos sobre la obra colectiva corresponderán a la persona que la edite y divulgue bajo su nombre.

Artículo 9. Obra compuesta e independiente.

1. Se considerará obra compuesta la obra nueva que incorpore una obra preexistente sin la colaboración del autor de esta última, sin perjuicio de los derechos que a éste correspondan y de su necesaria autorización.

2. La obra que constituya creación autónoma se considerará independiente, aunque se publique conjuntamente con otras.

CAPÍTULO II
Objeto

Artículo 10. Obras y títulos originales.

1. Son objeto de propiedad intelectual todas las creaciones originales literarias, artísticas o científicas expresadas por cualquier medio o soporte, tangible o intangible, actualmente conocido o que se invente en el futuro, comprendiéndose entre ellas:

a) Los libros, folletos, impresos, epistolarios, escritos, discursos y alocuciones, conferencias, informes forenses, explicaciones de cátedra y cualesquiera otras obras de la misma naturaleza.

b) Las composiciones musicales, con o sin letra.

c) Las obras dramáticas y dramático-musicales, las coreografías, las pantomimas y, en general, las obras teatrales.

d) Las obras cinematográficas y cualesquiera otras obras audiovisuales.

e) Las esculturas y las obras de pintura, dibujo, grabado, litografía y las historietas gráficas, tebeos o comics, así como sus ensayos o bocetos y las demás obras plásticas, sean o no aplicadas.

f) Los proyectos, planos, maquetas y diseños de obras arquitectónicas y de ingeniería.

g) Los gráficos, mapas y diseños relativos a la topografía, la geografía y, en general, a la ciencia.

h) Las obras fotográficas y las expresadas por procedimiento análogo a la fotografía.

i) Los programas de ordenador.

2. El título de una obra, cuando sea original, quedará protegido como parte de ella.

Artículo 11. Obras derivadas.

Sin perjuicio de los derechos de autor sobre la obra original, también son objeto de propiedad intelectual:

1.º Las traducciones y adaptaciones.

2.º Las revisiones, actualizaciones y anotaciones.

3.º Los compendios, resúmenes y extractos.

4.º Los arreglos musicales.

5.º Cualesquiera transformaciones de una obra literaria, artística o científica.

Artículo 12. Colecciones. Bases de datos.

1. También son objeto de propiedad intelectual, en los términos del Libro I de la presente Ley, las colecciones de obras ajenas, de datos o de otros elementos independientes como las antologías y las bases de datos que por la selección o disposición de sus contenidos constituyan creaciones intelectuales, sin perjuicio, en su caso, de los derechos que pudieran subsistir sobre dichos contenidos.

La protección reconocida en el presente artículo a estas colecciones se refiere únicamente a su estructura en cuanto forma de expresión de la selección o disposición de sus contenidos, no siendo extensiva a éstos.

2. A efectos de la presente Ley, y sin perjuicio de lo dispuesto en el apartado anterior, se consideran bases de datos las colecciones de obras, de datos, o de otros elementos independientes dispuestos de manera sistemática o metódica y accesibles individualmente por medios electrónicos o de otra forma.

3. La protección reconocida a las bases de datos en virtud del presente artículo no se aplicará a los programas de ordenador utilizados en la fabricación o en el funcionamiento de bases de datos accesibles por medios electrónicos.

Artículo 13. Exclusiones.

No son objeto de propiedad intelectual las disposiciones legales o reglamentarias y sus correspondientes proyectos, las resoluciones de los órganos jurisdiccionales y los actos, acuerdos, deliberaciones y dictámenes de los organismos públicos, así como las traducciones oficiales de todos los textos anteriores.

CAPÍTULO III
Contenido

Sección 1.ª Derecho moral

Artículo 14. Contenido y características del derecho moral.

Corresponden al autor los siguientes derechos irrenunciables e inalienables:

1.º Decidir si su obra ha de ser divulgada y en qué forma.

2.º Determinar si tal divulgación ha de hacerse con su nombre, bajo seudónimo o signo, o anónimamente.

3.º Exigir el reconocimiento de su condición de autor de la obra.

4.º Exigir el respeto a la integridad de la obra e impedir cualquier deformación, modificación, alteración o atentado contra ella que suponga perjuicio a sus legítimos intereses o menoscabo a su reputación.

5.º Modificar la obra respetando los derechos adquiridos por terceros y las exigencias de protección de bienes de interés cultural.

6.º Retirar la obra del comercio, por cambio de sus convicciones intelectuales o morales, previa indemnización de daños y perjuicios a los titulares de derechos de explotación.

Si, posteriormente, el autor decide reemprender la explotación de su obra deberá ofrecer preferentemente los correspondientes derechos al anterior titular de los mismos y en condiciones razonablemente similares a las originarias.

7.º Acceder al ejemplar único o raro de la obra, cuando se halle en poder de otro, a fin de ejercitar el derecho de divulgación o cualquier otro que le corresponda.

Este derecho no permitirá exigir el desplazamiento de la obra y el acceso a la misma se llevará a efecto en el lugar y forma que ocasionen menos incomodidades al poseedor, al que se indemnizará, en su caso, por los daños y perjuicios que se le irroguen.

Artículo 15. Supuestos de legitimación «mortis causa».

1. Al fallecimiento del autor, el ejercicio de los derechos mencionados en los apartados 3.º y 4.º del artículo anterior corresponde, sin límite de tiempo, a la persona natural o jurídica a la que el autor se lo haya confiado expresamente por disposición de última voluntad. En su defecto, el ejercicio de estos derechos corresponderá a los herederos.

2. Las mismas personas señaladas en el número anterior y en el mismo orden que en él se indica, podrán ejercer el derecho previsto en el apartado 1.º del artículo 14, en relación con la obra no divulgada en vida de su autor y durante un plazo de setenta años desde su muerte o declaración de fallecimiento, sin perjuicio de lo establecido en el artículo 40.

Artículo 16. Sustitución en la legitimación «mortis causa».

Siempre que no existan las personas mencionadas en el artículo anterior, o se ignore su paradero, el Estado, las Comunidades Autónomas, las Corporaciones locales y las instituciones públicas de carácter cultural estarán legitimados para ejercer los derechos previstos en el mismo.

Sección 2.ª Derechos de explotación

Artículo 17. Derecho exclusivo de explotación y sus modalidades.

Corresponde al autor el ejercicio exclusivo de los derechos de explotación de su obra en cualquier forma y, en especial, los derechos de reproducción, distribución, comunicación pública y transformación, que no podrán ser realizadas sin su autorización, salvo en los casos previstos en la presente Ley.

Artículo 18. Reproducción.

Se entiende por reproducción la fijación directa o indirecta, provisional o permanente, por cualquier medio y en cualquier forma, de toda la obra o de parte de ella, que permita su comunicación o la obtención de copias.

Artículo 19. Distribución.

1. Se entiende por distribución la puesta a disposición del público del original o de las copias de la obra, en un soporte tangible, mediante su venta, alquiler, préstamo o de cualquier otra forma.

2. Cuando la distribución se efectúe mediante venta u otro título de transmisión de la propiedad, en el ámbito de la Unión Europea, por el propio titular del derecho o con su consentimiento, este derecho se agotará con la primera, si bien sólo para las ventas y transmisiones de propiedad sucesivas que se realicen en dicho ámbito territorial.

3. Se entiende por alquiler la puesta a disposición de los originales y copias de una obra para su uso por tiempo limitado y con un beneficio económico o comercial directo o indirecto. Quedan excluidas del concepto de alquiler la puesta a disposición con fines de exposición, de comunicación pública a partir de fonogramas o de grabaciones audiovisuales, incluso de fragmentos de unos y otras, y la que se realice para consulta in situ.

4. Se entiende por préstamo la puesta a disposición de originales y copias de una obra para su uso por tiempo limitado sin beneficio económico o comercial directo ni indirecto, siempre que dicho préstamo se lleve a cabo a través de establecimientos accesibles al público.

Se entenderá que no existe beneficio económico o comercial directo ni indirecto cuando el préstamo efectuado por un establecimiento accesible al público dé lugar al pago de una cantidad que no exceda de lo necesario para cubrir los gastos de funcionamiento. Esta cantidad no podrá incluir total o parcialmente el importe del derecho de remuneración que deba satisfacerse a los titulares de derechos de propiedad intelectual conforme a lo dispuesto en el artículo 37.2.

Quedan excluidas del concepto de préstamo las operaciones mencionadas en el párrafo segundo del apartado 3 y las que se efectúen entre establecimientos accesibles al público.

5. Lo dispuesto en este artículo en cuanto al alquiler y al préstamo no se aplicará a los edificios ni a las obras de artes aplicadas.

Artículo 20. Comunicación pública.

1. Se entenderá por comunicación pública todo acto por el cual una pluralidad de personas pueda tener acceso a la obra sin previa distribución de ejemplares a cada una de ellas.

No se considerará pública la comunicación cuando se celebre dentro de un ámbito estrictamente doméstico que no esté integrado o conectado a una red de difusión de cualquier tipo.

2. Especialmente, son actos de comunicación pública:

a) Las representaciones escénicas, recitaciones, disertaciones y ejecuciones públicas de las obras dramáticas, dramático-musicales, literarias y musicales mediante cualquier medio o procedimiento.

b) La proyección o exhibición pública de las obras cinematográficas y de las demás audiovisuales.

c) La emisión de cualesquiera obras por radiodifusión o por cualquier otro medio que sirva para la difusión inalámbrica de signos, sonidos o imágenes. El concepto de emisión comprende la producción de señales portadoras de programas hacia un satélite, cuando la recepción de las mismas por el público no es posible sino a través de entidad distinta de la de origen.

d) La radiodifusión o comunicación al público vía satélite de cualesquiera obras, es decir, el acto de introducir, bajo el control y la responsabilidad de la entidad radiodifusora, las señales portadoras de programas, destinadas a la recepción por el público en una cadena ininterrumpida de comunicación que vaya al satélite y desde éste a la tierra. Los procesos técnicos normales relativos a las señales portadoras de programas no se consideran interrupciones de la cadena de comunicación.

Cuando las señales portadoras de programas se emitan de manera codificada existirá comunicación al público vía satélite siempre que se pongan a disposición del público por la entidad radiodifusora, o con su consentimiento, medios de descodificación.

A efectos de lo dispuesto en los dos párrafos anteriores, se entenderá por satélite cualquiera que opere en bandas de frecuencia reservadas por la legislación de telecomunicaciones a la difusión de señales para la recepción por el público o para la comunicación individual no pública, siempre que, en este último caso, las circunstancias en las que se lleve a efecto la recepción individual de las señales sean comparables a las que se aplican en el primer caso.

e) La transmisión de cualesquiera obras al público por hilo, cable, fibra óptica u otro procedimiento análogo, sea o no mediante abono.

f) La retransmisión, por cualquiera de los medios citados en los apartados anteriores y por entidad distinta de la de origen, de la obra radiodifundida.

Se entiende por distribución por cable la retransmisión simultánea, inalterada e íntegra por cable o microondas, para su recepción por el público, de una transmisión inicial de otro Estado miembro, alámbrica o inalámbrica, incluida vía satélite, de programas de radio o televisión destinados a su recepción por el público, independientemente de la manera en que el operador de un servicio de retransmisión por cable obtenga del organismo de radiodifusión las señales portadoras de programas con fines de retransmisión.

g) La emisión o transmisión, en lugar accesible al público, mediante cualquier instrumento idóneo, de la obra radiodifundida.

h) La exposición pública de obras de arte o sus reproducciones.

i) La puesta a disposición del público de obras, por procedimientos alámbricos o inalámbricos, de tal forma que cualquier persona pueda acceder a ellas desde el lugar y en el momento que elija.

j) El acceso público en cualquier forma a las obras incorporadas a una base de datos, aunque dicha base de datos no esté protegida por las disposiciones del Libro I de la presente Ley.

k) La realización de cualquiera de los actos anteriores, respecto a una base de datos protegida por el Libro I de la presente Ley.

3. La comunicación al público vía satélite en el territorio de la Unión Europea se regirá por las siguientes disposiciones:

a) La comunicación al público vía satélite se producirá únicamente en el Estado miembro de la Unión Europea en que, bajo el control y responsabilidad de la entidad radiodifusora, las señales portadoras de programas se introduzcan en la cadena ininterrumpida de comunicación a la que se refiere el párrafo d) del apartado 2 de este artículo.

b) Cuando la comunicación al público vía satélite se produzca en el territorio de un Estado no perteneciente a la Unión Europea donde no exista el nivel de protección que para dicho sistema de comunicación al público establece este apartado 3, se tendrá en cuenta lo siguiente:

1.º Si la señal portadora del programa se envía al satélite desde una estación de señal ascendente situada en un Estado miembro se considerará que la comunicación al público vía satélite se ha producido en dicho Estado miembro. En tal caso, los derechos que se establecen relativos a la radiodifusión vía satélite podrán ejercitarse frente a la persona que opere la estación que emite la señal ascendente.

2.º Si no se utiliza una estación de señal ascendente situada en un Estado miembro pero una entidad de radiodifusión establecida en un Estado miembro ha encargado la emisión vía satélite, se considerará que dicho acto se ha producido en el Estado miembro en el que la entidad de radiodifusión tenga su establecimiento principal. En tal caso, los derechos que se establecen relativos a la radiodifusión vía satélite podrán ejercitarse frente a la entidad de radiodifusión.

4. La retransmisión por cable definida en el párrafo segundo del apartado 2.f) de este artículo, dentro del territorio de la Unión Europea, se regirá por las siguientes disposiciones:

a) La retransmisión en territorio español de emisiones, radiodifusiones vía satélite o transmisiones iniciales de programas procedentes de otros Estados miembros de la Unión Europea se realizará, en lo relativo a los derechos de autor, de acuerdo con lo dispuesto en la presente Ley y con arreglo a lo establecido en los acuerdos contractuales, individuales o colectivos, firmados entre los titulares de derechos y las empresas de retransmisión por cable.

b) El derecho que asiste a los titulares de derechos de autor de autorizar la retransmisión por cable se ejercerá, exclusivamente, a través de una entidad de gestión de derechos de propiedad intelectual.

c) En el caso de titulares que no hubieran encomendado la gestión de sus derechos a una entidad de gestión de derechos de propiedad intelectual, los mismos se harán efectivos a través de la entidad que gestione derechos de la misma categoría.

Cuando existiere más de una entidad de gestión de los derechos de la referida categoría, sus titulares podrán encomendar la gestión de los mismos a cualquiera de las entidades.

Los titulares a que se refiere esta letra c) gozarán de los derechos y quedarán sujetos a las obligaciones derivadas del acuerdo celebrado entre la empresa de retransmisión por cable y la entidad en la que se considere hayan delegado la gestión de sus derechos, en igualdad de condiciones con los titulares de derechos que hayan encomendado la gestión de los mismos a tal entidad. Asimismo, podrán reclamar a la entidad de gestión a la que se refieren los párrafos anteriores de esta letra c), sus derechos en los términos del artículo 177.

d) Cuando el titular de derechos autorice la emisión, radiodifusión vía satélite o transmisión inicial en territorio español de una obra protegida, se presumirá que consiente en no ejercitar, a título individual, sus derechos para, en su caso, la retransmisión por cable de la misma, sino a ejercitarlos con arreglo a lo dispuesto en este apartado 4.

e) Lo dispuesto en los párrafos b), c) y d) de este apartado 4 no se aplicará a los derechos ejercidos por las entidades de radiodifusión respecto de sus propias emisiones, radiodifusiones vía satélite o transmisiones, con independencia de que los referidos derechos sean suyos o les hayan sido transferidos por otros titulares de derechos de autor.

f) Cuando, por falta de acuerdo entre las partes, no se llegue a celebrar un contrato para la autorización de la retransmisión por cable, las partes podrán acceder, por vía de mediación, a la Comisión Mediadora y Arbitral de la Propiedad Intelectual.

Será aplicable a la mediación contemplada en el párrafo anterior lo previsto en el artículo 193 y en el real decreto de desarrollo de dicha disposición.

g) Cuando alguna de las partes, en abuso de su posición negociadora, impida la iniciación o prosecución de buena fe de las negociaciones para la autorización de la retransmisión por cable, u obstaculice, sin justificación válida, las negociaciones o la mediación a que se refiere el párrafo anterior, se aplicará lo dispuesto en el Título I, capítulo I, de la Ley 16/1989, de 17 de julio, de Defensa de la Competencia.

Artículo 21. Transformación.

1. La transformación de una obra comprende su traducción, adaptación y cualquier otra modificación en su forma de la que se derive una obra diferente.

Cuando se trate de una base de datos a la que hace referencia el artículo 12 de la presente Ley se considerará también transformación, la reordenación de la misma.

2. Los derechos de propiedad intelectual de la obra resultado de la transformación corresponderán al autor de esta última, sin perjuicio del derecho del autor de la obra preexistente de autorizar, durante todo el plazo de protección de sus derechos sobre ésta, la explotación de esos resultados en cualquier forma y en especial mediante su reproducción, distribución, comunicación pública o nueva transformación.

Artículo 22. Colecciones escogidas u obras completas.

La cesión de los derechos de explotación sobre sus obras no impedirá al autor publicarlas reunidas en colección escogida o completa.

Artículo 23. Independencia de derechos.

Los derechos de explotación regulados en esta sección son independientes entre sí.

[...]

TÍTULO III
Duración, límites y salvaguardia de otras disposiciones legales

CAPÍTULO I
Duración

Artículo 26. Duración y cómputo.

Los derechos de explotación de la obra durarán toda la vida del autor y setenta años después de su muerte o declaración de fallecimiento.

Artículo 27. Duración y cómputo en obras póstumas, seudónimas y anónimas.

1. Los derechos de explotación de las obras anónimas o seudónimas a las que se refiere el artículo 6 durarán setenta años desde su divulgación lícita.

Cuando antes de cumplirse este plazo fuera conocido el autor, bien porque el seudónimo que ha adoptado no deje dudas sobre su identidad, bien porque el mismo autor la revele, será de aplicación lo dispuesto en el artículo precedente.

2. Los derechos de explotación de las obras que no hayan sido divulgadas lícitamente durarán setenta años desde la creación de éstas, cuando el plazo de protección no sea computado a partir de la muerte o declaración de fallecimiento del autor o autores.

Artículo 28. Duración y cómputo de las obras en colaboración y colectivas.

1. Los derechos de explotación de las obras en colaboración definidas en el artículo 7, comprendidas las obras cinematográficas y audiovisuales, durarán toda la vida de los coautores y setenta años desde la muerte o declaración de fallecimiento del último coautor superviviente.

En el caso de las composiciones musicales con letra, los derechos de explotación durarán toda la vida del autor de la letra y del autor de la composición musical y setenta años desde la muerte o declaración de fallecimiento del último superviviente, siempre que sus contribuciones fueran creadas específicamente para la respectiva composición musical con letra.

2. Los derechos de explotación sobre las obras colectivas definidas en el artículo 8 de esta Ley durarán setenta años desde la divulgación lícita de la obra protegida. No obstante, si las personas naturales que hayan creado la obra son identificadas como autores en las versiones de la misma que se hagan accesibles al público, se estará a lo dispuesto en los artículos 26 ó 28.1, según proceda.

Lo dispuesto en el párrafo anterior se entenderá sin perjuicio de los derechos de los autores identificados cuyas aportaciones identificables estén contenidas en dichas obras, a las cuales se aplicarán el artículo 26 y el apartado 1 de este artículo, según proceda.

Artículo 29. Obras publicadas por partes.

En el caso de obras divulgadas por partes, volúmenes, entregas o fascículos, que no sean independientes y cuyo plazo de protección comience a transcurrir cuando la obra haya sido divulgada de forma lícita, dicho plazo se computará por separado para cada elemento.

Artículo 30. Cómputo de plazo de protección.

Los plazos de protección establecidos en esta Ley se computarán desde el día 1 de enero del año siguiente al de la muerte o declaración de fallecimiento del autor o al de la divulgación lícita de la obra, según proceda.

CAPÍTULO II
Límites

Artículo 31. Reproducciones provisionales y copia privada.

1. No requerirán autorización del autor los actos de reproducción provisional a los que se refiere el artículo 18 que, además de carecer por sí mismos de una significación económica independiente, sean transitorios o accesorios y formen parte integrante y esencial de un proceso tecnológico y cuya única finalidad consista en facilitar bien una transmisión en red entre terceras partes por un intermediario, bien una utilización lícita, entendiendo por tal la autorizada por el autor o por la ley.

2. Sin perjuicio de la compensación equitativa prevista en el artículo 25, no necesita autorización del autor la reproducción, en cualquier soporte, sin asistencia de terceros, de obras ya divulgadas, cuando concurran simultáneamente las siguientes circunstancias, constitutivas del límite legal de copia privada:

a) Que se lleve a cabo por una persona física exclusivamente para su uso privado, no profesional ni empresarial, y sin fines directa ni indirectamente comerciales.

b) Que la reproducción se realice a partir de una fuente lícita y que no se vulneren las condiciones de acceso a la obra o prestación.

c) Que la copia obtenida no sea objeto de una utilización colectiva ni lucrativa, ni de distribución mediante precio.

3. Quedan excluidas de lo dispuesto en el anterior apartado:

a) Las reproducciones de obras que se hayan puesto a disposición del público conforme al artículo 20.2.i), de tal forma que cualquier persona pueda acceder a ellas desde el lugar y momento que elija, autorizándose, con arreglo a lo convenido por contrato, y, en su caso, mediante pago de precio, la reproducción de la obra.

b) Las bases de datos electrónicas.

c) Los programas de ordenador, en aplicación de la letra a) del artículo 99.

Artículo 31 bis. Seguridad y procedimientos oficiales.

No será necesaria autorización del autor cuando una obra se reproduzca, distribuya o comunique públicamente con fines de seguridad pública o para el correcto desarrollo de procedimientos administrativos, judiciales o parlamentarios.

Artículo 31 ter. Accesibilidad para personas con discapacidad.

1. No necesitan autorización del titular de los derechos de propiedad intelectual los actos de reproducción, distribución y comunicación pública de obras ya divulgadas que se realicen en beneficio de personas con discapacidad, siempre que los mismos carezcan de finalidad lucrativa, guarden una relación directa con la discapacidad de que se trate, se lleven a cabo mediante un procedimiento o medio adaptado a la discapacidad y se limiten a lo que esta exige.

2. En aquellos supuestos especiales que no entren en conflicto con la explotación normal de la obra, y que no perjudiquen en exceso los intereses legítimos del titular del derecho, las entidades autorizadas establecidas en España que produzcan ejemplares en formato accesible de obras para uso exclusivo de personas ciegas, con discapacidad visual o con otras dificultades para acceder a textos impresos, podrán llevar a cabo los actos del apartado anterior, de la forma referida en el mismo, para uso exclusivo de dichos beneficiarios o de una entidad autorizada establecida en cualquier Estado miembro de la Unión Europea. Asimismo, los beneficiarios y las entidades autorizadas establecidas en España podrán conseguir o consultar un ejemplar en formato accesible facilitado por una entidad autorizada establecida en cualquier Estado miembro de la Unión Europea.

Se entiende por discapacidad visual y dificultad para acceder a obras impresas, incluido el formato audio y los formatos digitales, a los efectos de determinar los beneficiarios de este apartado, las que tienen las personas que:

a) sean ciegas;

b) tengan una discapacidad visual que no pueda corregirse para darle una función visual sustancialmente equivalente a la de una persona sin ese tipo de discapacidad, y que, en consecuencia, no sean capaces de leer obras impresas en una medida sustancialmente equivalente a la de una persona sin ese tipo de discapacidad;

c) tengan una dificultad para percibir o leer que, en consecuencia, las incapacite para leer obras impresas en una medida sustancialmente equivalente a la de una persona sin esa dificultad, o

d) no puedan, debido a una discapacidad física, sostener o manipular un libro o centrar la vista o mover los ojos en la medida que normalmente sería aceptable para la lectura.

Serán entidades autorizadas, a los efectos de este artículo, aquellas entidades que proporcionen sin ánimo de lucro a las personas ciegas, con discapacidad visual o con otras dificultades para acceder a textos impresos, educación, formación pedagógica, lectura adaptada o acceso a la información, o que, siendo instituciones públicas u organizaciones sin ánimo de lucro, tengan estos servicios como una de sus actividades principales, como una de sus obligaciones institucionales o como parte de sus misiones de interés público.

3. Las entidades autorizadas a los efectos de este artículo, deberán:

a) Distribuir, comunicar o poner a disposición ejemplares en formato accesible de obras para uso exclusivo de los beneficiarios del apartado anterior o de otras entidades autorizadas.

b) Tomar las medidas necesarias para desincentivar la reproducción, distribución, comunicación al público o puesta a disposición del público, de forma no autorizada, de ejemplares en formato accesible.

c) Gestionar con la diligencia debida las obras, así como sus ejemplares, en formato accesible, y mantener un registro de dicha gestión.

d) Publicar información sobre las actuaciones realizadas en aplicación de las letras anteriores, siendo suficiente, a estos efectos, una actualización semestral en su portal de internet y una remisión de dicha información, actualizada semestralmente, al centro directivo del Ministerio de Cultura y Deporte competente en materia de propiedad intelectual y a la entidad o entidades de gestión de derechos de propiedad intelectual que representen a los titulares de las obras adaptadas a formato accesible. El referido centro directivo del Ministerio de Cultura y Deporte creará y llevará un registro de las entidades autorizadas y podrá comprobar, en cualquier momento, las actuaciones informadas por estas.

e) Facilitar de forma accesible, previa solicitud, la lista de obras y formatos disponibles según lo previsto en la anterior letra d), y los datos de las entidades autorizadas con las que hayan intercambiado ejemplares en formato accesible, a los beneficiarios del apartado anterior, a otras entidades autorizadas o a los titulares de derechos.

El Ministerio de Cultura y Deporte remitirá a la Comisión Europea la información que haya recibido de las entidades autorizadas, incluyendo su nombre y datos de contacto.

Estas obligaciones deberán cumplirse respetando plenamente la normativa vigente en materia de tratamiento de datos personales.

4. Las entidades comunicarán al centro directivo del Ministerio de Cultura y Deporte competente en materia de propiedad intelectual, el cumplimiento de los requisitos contenidos en los anteriores apartados 2 y 3, exigibles a una entidad autorizada. En caso de incumplimiento de los mismos y de no ser atendido el oportuno requerimiento de subsanación, se requerirá a aquellas el cese de la actividad regulada en el presente artículo.

5. Lo previsto en los anteriores apartados 2, 3 y 4 lo es sin perjuicio de la aplicabilidad de la normativa de la Unión Europea en materia de intercambio transfronterizo entre esta y terceros países de ejemplares en formato accesible de determinadas obras y otras prestaciones protegidas por derechos de autor y derechos afines en favor de personas ciegas, con discapacidad visual o con otras dificultades para acceder a textos impresos.

Artículo 32. Citas y reseñas e ilustración con fines educativos o de investigación científica.

1. Es lícita la inclusión en una obra propia de fragmentos de otras ajenas de naturaleza escrita, sonora o audiovisual, así como la de obras aisladas de

carácter plástico o fotográfico figurativo, siempre que se trate de obras ya divulgadas y su inclusión se realice a título de cita o para su análisis, comentario o juicio crítico. Tal utilización solo podrá realizarse con fines docentes o de investigación, en la medida justificada por el fin de esa incorporación e indicando la fuente y el nombre del autor de la obra utilizada.

Las recopilaciones periódicas efectuadas en forma de reseñas o revista de prensa tendrán la consideración de citas. No obstante, cuando se realicen recopilaciones de artículos periodísticos que consistan básicamente en su mera reproducción y dicha actividad se realice con fines comerciales, el autor que no se haya opuesto expresamente tendrá derecho a percibir una remuneración equitativa. En caso de oposición expresa del autor, dicha actividad no se entenderá amparada por este límite.

En todo caso, la reproducción, distribución o comunicación pública, total o parcial, de artículos periodísticos aislados en un dossier de prensa que tenga lugar dentro de cualquier organización requerirá la autorización de los titulares de derechos.

2. La puesta a disposición del público, por parte de prestadores de servicios electrónicos de agregación de contenidos, de textos o fragmentos de textos de publicaciones de prensa objeto de derechos de propiedad intelectual requerirá la concesión, por parte de los titulares de derechos en lo relativo a usos en línea, de la correspondiente autorización prevista en el artículo 129 bis.

Sin perjuicio de lo establecido en el párrafo anterior, la puesta a disposición del público por parte de prestadores de servicios que faciliten instrumentos de búsqueda de palabras aisladas no estará sujeta a autorización ni remuneración siempre que tal puesta a disposición del público se produzca sin finalidad comercial propia y se realice estrictamente circunscrita a lo imprescindible para ofrecer resultados de búsqueda en respuesta a consultas previamente formuladas por un usuario al buscador y siempre que la puesta a disposición del público incluya un enlace a la página de origen de los contenidos.

3. El profesorado de la educación reglada impartida en centros integrados en el sistema educativo español y el personal de Universidades y Organismos Públicos de investigación en sus funciones de investigación científica, no ne-

cesitarán autorización del autor o editor para realizar actos de reproducción, distribución y comunicación pública de pequeños fragmentos de obras y de obras aisladas de carácter plástico o fotográfico figurativo, cuando, no concurriendo una finalidad comercial, se cumplan simultáneamente las siguientes condiciones:

a) Que tales actos se hagan únicamente para la ilustración de sus actividades educativas, tanto en la enseñanza presencial como en la enseñanza a distancia, o con fines de investigación científica, y en la medida justificada por la finalidad no comercial perseguida.

b) Que se trate de obras ya divulgadas.

c) Que las obras no tengan la condición de libro de texto, manual universitario o publicación asimilada, salvo que se trate de:

1.º Actos de reproducción para la comunicación pública, incluyendo el propio acto de comunicación pública, que no supongan la puesta a disposición ni permitan el acceso de los destinatarios a la obra o fragmento. En estos casos deberá incluirse expresamente una localización desde la que los alumnos puedan acceder legalmente a la obra protegida.

2.º Actos de distribución de copias exclusivamente entre el personal investigador colaborador de cada proyecto específico de investigación y en la medida necesaria para este proyecto.

A estos efectos, se entenderá por libro de texto, manual universitario o publicación asimilada, cualquier publicación, impresa o susceptible de serlo, editada con el fin de ser empleada como recurso o material del profesorado o el alumnado de la educación reglada para facilitar el proceso de la enseñanza o aprendizaje.

d) Que se incluyan el nombre del autor y la fuente, salvo en los casos en que resulte imposible.

A estos efectos, se entenderá por pequeño fragmento de una obra, un extracto o porción cuantitativamente poco relevante sobre el conjunto de la misma.

Los autores y editores no tendrán derecho a remuneración alguna por la realización de estos actos.

4. Tampoco necesitarán la autorización del autor o editor los actos de reproducción parcial, de distribución y de comunicación pública de obras o publicaciones, impresas o susceptibles de serlo, cuando concurran simultáneamente las siguientes condiciones:

a) Que tales actos se lleven a cabo únicamente para la ilustración con fines educativos y de investigación científica.

b) Que los actos se limiten a un capítulo de un libro, artículo de una revista o extensión equivalente respecto de una publicación asimilada, o extensión asimilable al 10 por ciento del total de la obra, resultando indiferente a estos efectos que la copia se lleve a cabo a través de uno o varios actos de reproducción.

c)Que los actos se realicen en las universidades o centros públicos de investigación, por su personal y con sus medios e instrumentos propios.

d) Que concurra, al menos, una de las siguientes condiciones:

1.º Que la distribución de las copias parciales se efectúe exclusivamente entre los alumnos y personal docente o investigador del mismo centro en el que se efectúa la reproducción.

2.º Que sólo los alumnos y el personal docente o investigador del centro en el que se efectúe la reproducción parcial de la obra puedan tener acceso a la misma a través de los actos de comunicación pública autorizados en el presente apartado, llevándose a cabo la puesta a disposición a través de las redes internas y cerradas a las que únicamente puedan acceder esos beneficiarios o en el marco de un programa de educación a distancia ofertado por dicho centro docente.

En defecto de previo acuerdo específico al respecto entre el titular del derecho de propiedad intelectual y el centro universitario u organismo de investigación, y salvo que dicho centro u organismo sea titular de los correspondientes derechos de propiedad intelectual sobre las obras reproducidas, distribuidas y comunicadas públicamente de forma parcial según el apartado b), los autores y editores de éstas tendrán un derecho irrenunciable a percibir de los centros usuarios una remuneración equitativa, que se hará efectiva a través de las entidades de gestión.

5. No se entenderán comprendidas en los apartados 3 y 4 las partituras musicales, las obras de un solo uso ni las compilaciones o agrupaciones de fragmentos de obras, o de obras aisladas de carácter plástico o fotográfico figurativo.

Artículo 33. Trabajos sobre temas de actualidad.

1. Los trabajos y artículos sobre temas de actualidad difundidos por los medios de comunicación social podrán ser reproducidos, distribuidos y comunicados públicamente por cualesquiera otros de la misma clase, citando la fuente y el autor si el trabajo apareció con firma y siempre que no se hubiese hecho constar en origen la reserva de derechos. Todo ello sin perjuicio del derecho del autor a percibir la remuneración acordada o, en defecto de acuerdo, la que se estime equitativa.

Cuando se trate de colaboraciones literarias será necesaria, en todo caso, la oportuna autorización del autor.

2. Igualmente, se podrán reproducir, distribuir y comunicar las conferencias, alocuciones, informes ante los Tribunales y otras obras del mismo carácter que se hayan pronunciado en público, siempre que esas utilizaciones se realicen con el exclusivo fin de informar sobre la actualidad. Esta última condición no será de aplicación a los discursos pronunciados en sesiones parlamentarias o de corporaciones públicas. En cualquier caso, queda reservado al autor el derecho a publicar en colección tales obras.

Artículo 34. Utilización de bases de datos por el usuario legítimo y limitaciones a los derechos de explotación del titular de una base de datos.

1. El usuario legítimo de una base de datos protegida en virtud del artículo 12 de esta Ley o de copias de la misma, podrá efectuar, sin la autorización del autor de la base, todos los actos que sean necesarios para el acceso al contenido de la base de datos y a su normal utilización por el propio usuario, aunque estén afectados por cualquier derecho exclusivo de ese autor. En la medida en que el usuario legítimo esté autorizado a utilizar sólo una parte de la base de datos, esta disposición será aplicable únicamente a dicha parte.

Cualquier pacto en contrario a lo establecido en esta disposición será nulo de pleno derecho.

2. Sin perjuicio de lo dispuesto en el artículo 31, no se necesitará la autorización del autor de una base de datos protegida en virtud del artículo 12 de esta Ley y que haya sido divulgada:

a) Cuando tratándose de una base de datos no electrónica se realice una reproducción con fines privados.

b) Cuando la utilización se realice con fines de ilustración de la enseñanza o de investigación científica siempre que se lleve a efecto en la medida justificada por el objetivo no comercial que se persiga e indicando en cualquier caso su fuente.

c) Cuando se trate de una utilización para fines de seguridad pública o a efectos de un procedimiento administrativo o judicial.

Artículo 35. Utilización de las obras con ocasión de informaciones de actualidad y de las situadas en vías públicas.

1. Cualquier obra susceptible de ser vista u oída con ocasión de informaciones sobre acontecimientos de la actualidad puede ser reproducida, distribuida y comunicada públicamente, si bien sólo en la medida que lo justifique dicha finalidad informativa.

2. Las obras situadas permanentemente en parques, calles, plazas u otras vías públicas pueden ser reproducidas, distribuidas y comunicadas libremente por medio de pinturas, dibujos, fotografías y procedimientos audiovisuales.

Artículo 36. Cable, satélite y grabaciones técnicas.

1. La autorización para emitir una obra comprende la transmisión por cable de la emisión, cuanto ésta se realice simultánea e íntegramente por la entidad de origen y sin exceder la zona geográfica prevista en dicha autorización.

2. Asimismo, la referida autorización comprende su incorporación a un programa dirigido hacia un satélite que permita la recepción de esta obra a través de entidad distinta de la de origen, cuando el autor o su derechohabiente haya autorizado a esta última entidad para comunicar la obra al público, en cuyo caso, además, la emisora de origen quedará exenta del pago de toda remuneración.

3. La cesión del derecho de comunicación pública de una obra, cuando ésta se realiza a través de la radiodifusión, facultará a la entidad radiodifusora para registrar la misma por sus propios medios y para sus propias emisiones inalámbricas, al objeto de realizar, por una sola vez, la comunicación pública autorizada. Para nuevas difusiones de la obra así registrada será necesaria la cesión del derecho de reproducción y de comunicación pública.

4. Lo dispuesto en este artículo se entiende sin perjuicio de lo previsto en el artículo 20 de la presente Ley.

Artículo 37. Reproducción, préstamo y consulta de obras mediante terminales especializados en determinados establecimientos.

1. Los titulares de los derechos de autor no podrán oponerse a las reproducciones de las obras, cuando aquéllas se realicen sin finalidad lucrativa por los museos, bibliotecas, fonotecas, filmotecas, hemerotecas o archivos de titularidad pública o integradas en instituciones de carácter cultural o científico y la reproducción se realice exclusivamente para fines de investigación o conservación.

2. Asimismo, los museos, archivos, bibliotecas, hemerotecas, fonotecas o filmotecas de titularidad pública o que pertenezcan a entidades de interés general de carácter cultural, científico o educativo sin ánimo de lucro, o a instituciones docentes integradas en el sistema educativo español, no precisarán autorización de los titulares de derechos por los préstamos que realicen.

Los titulares de estos establecimientos remunerarán a los autores por los préstamos que realicen de sus obras en la cuantía que se determine mediante Real Decreto. La remuneración se hará efectiva a través de las entidades de gestión de los derechos de propiedad intelectual.

Cuando los titulares de los establecimientos sean los Municipios, la remuneración será satisfecha por las Diputaciones Provinciales. Allí donde no existen, la remuneración será satisfecha por la Administración que asume sus funciones.

Quedan eximidos de la obligación de remuneración los establecimientos de titularidad pública que presten servicio en municipios de menos de 5.000 habitantes, así como las bibliotecas de las instituciones docentes integradas en el sistema educativo español.

El Real Decreto por el que se establezca la cuantía contemplará asimismo los mecanismos de colaboración necesarios entre el Estado, las Comunidades Autónomas y las corporaciones locales para el cumplimiento de las obligaciones de remuneración que afecten a establecimientos de titularidad pública.

3. No necesitará autorización del autor la comunicación de obras o su puesta a disposición de personas concretas del público a efectos de investigación cuando se realice mediante red cerrada e interna a través de terminales especializados instalados a tal efecto en los locales de los establecimientos citados en el anterior apartado y siempre que tales obras figuren en las colecciones del propio establecimiento y no sean objeto de condiciones de adquisición o de licencia. Todo ello sin perjuicio del derecho del autor a percibir una remuneración equitativa.

Artículo 37 bis. Obras huérfanas.

1. Se considerará obra huérfana a la obra cuyos titulares de derechos no están identificados o, de estarlo, no están localizados a pesar de haberse efectuado una previa búsqueda diligente de los mismos.

2. Si existen varios titulares de derechos sobre una misma obra y no todos ellos han sido identificados o, a pesar de haber sido identificados, no han sido localizados tras haber efectuado una búsqueda diligente, la obra se podrá utilizar conforme a la presente ley, sin perjuicio de los derechos de los titulares que hayan sido identificados y localizados y, en su caso, de la necesidad de la correspondiente autorización.

3. Toda utilización de una obra huérfana requerirá la mención de los nombres de los autores y titulares de derechos de propiedad intelectual identificados, sin perjuicio de lo dispuesto en el artículo 14.2.º

4. Los centros educativos, museos, bibliotecas y hemerotecas accesibles al público, así como los organismos públicos de radiodifusión, archivos, fonotecas y filmotecas podrán reproducir, a efectos de digitalización, puesta a disposición del público, indexación, catalogación, conservación o restauración, y poner a disposición del público, en la forma establecida en el artículo 20.2.i), las siguientes obras huérfanas, siempre que tales actos se lleven a cabo sin ánimo de lucro y con el fin de alcanzar objetivos relacionados con su misión de interés público, en particular la conservación y restauración de las obras que figuren en su colección y la facilitación del acceso a la misma con fines culturales y educativos:

a) Obras cinematográficas o audiovisuales, fonogramas y obras publicadas en forma de libros, periódicos, revistas u otro material impreso que figuren en las colecciones de centros educativos, museos, bibliotecas y hemerotecas accesibles al público, así como de archivos, fonotecas y filmotecas.

b) Obras cinematográficas o audiovisuales y fonogramas producidos por organismos públicos de radiodifusión hasta el 31 de diciembre de 2002 inclusive, y que figuren en sus archivos.

Lo dispuesto en este artículo se aplicará también a las obras y prestaciones protegidas que estén insertadas o incorporadas en las obras citadas en el presente apartado o formen parte integral de éstas.

5. Las obras huérfanas se podrán utilizar siempre que hayan sido publicadas por primera vez o, a falta de publicación, hayan sido radiodifundidas por primera vez en un Estado miembro de la Unión Europea. Dicha utilización podrá llevarse a cabo previa búsqueda diligente, en dicho Estado, de los titulares de los derechos de propiedad intelectual de la obra huérfana. En el caso de las obras cinematográficas o audiovisuales cuyo productor tenga su sede o residencia habitual en un Estado miembro de la Unión Europea, la búsqueda de los titulares deberá realizarse en dicho Estado.

Asimismo, las entidades citadas en el apartado anterior que hubieran puesto a disposición del público, con el consentimiento de sus titulares de derechos, obras huérfanas no publicadas ni radiodifundidas, podrán utilizarlas, cuando sea razonable presumir que sus titulares no se opondrían a los usos previstos en este artículo. En este caso, la búsqueda a que se refiere el párrafo anterior deberá realizarse en España.

La búsqueda diligente se realizará de buena fe, mediante la consulta de, al menos, las fuentes de información que reglamentariamente se determinen, sin perjuicio de la obligación de consultar fuentes adicionales disponibles en otros países donde haya indicios de la existencia de información pertinente sobre los titulares de derechos.

6. Las entidades citadas en el apartado 4 registrarán el proceso de búsqueda de los titulares de derechos y remitirán la siguiente información al órgano competente a que se refiere el apartado siguiente:

a) Los resultados de las búsquedas diligentes que hayan efectuado y que hayan llevado a la conclusión de que una obra o un fonograma debe considerarse obra huérfana.

b) El uso que las entidades hacen de las obras huérfanas de conformidad con la presente ley.

c) Cualquier cambio, de conformidad con el apartado siguiente, en la condición de obra huérfana de las obras y los fonogramas que utilicen.

d) La información de contacto pertinente de la entidad en cuestión.

7. En cualquier momento, los titulares de derechos de propiedad intelectual de una obra podrán solicitar al órgano competente que reglamentariamente se determine el fin de su condición de obra huérfana en lo que se re-

fiere a sus derechos y percibir una compensación equitativa por la utilización llevada a cabo conforme a lo dispuesto en este artículo.

Artículo 38. Actos oficiales y ceremonias religiosas.

La ejecución de obras musicales en el curso de actos oficiales del Estado, de las Administraciones públicas y ceremonias religiosas no requerirá autorización de los titulares de los derechos, siempre que el público pueda asistir a ellas gratuitamente y los artistas que en las mismas intervengan no perciban remuneración específica por su interpretación o ejecución en dichos actos.

Artículo 39. Parodia.

No será considerada transformación que exija consentimiento del autor la parodia de la obra divulgada, mientras no implique riesgo de confusión con la misma ni se infiera un daño a la obra original o a su autor.

Artículo 40. Tutela del derecho de acceso a la cultura.

Si a la muerte o declaración de fallecimiento del autor, sus derechohabientes ejerciesen su derecho a la no divulgación de la obra, en condiciones que vulneren lo dispuesto en el artículo 44 de la Constitución, el Juez podrá ordenar las medidas adecuadas a petición del Estado, las Comunidades Autónomas, las Corporaciones locales, las instituciones públicas de carácter cultural o de cualquier otra persona que tenga un interés legítimo.

Artículo 40 bis. Disposición común a todas las del presente capítulo.

Los artículos del presente capítulo no podrán interpretarse de manera tal que permitan su aplicación de forma que causen un perjuicio injustificado a los intereses legítimos del autor o que vayan en detrimento de la explotación normal de las obras a que se refieran.

CAPÍTULO III
Salvaguardia de aplicación de otras disposiciones legales

Artículo 40 ter. Salvaguardia de aplicación de otras disposiciones legales.

Lo dispuesto en los artículos del presente Libro I, sobre la protección de las bases de datos, se entenderá sin perjuicio de cualesquiera otras disposiciones legales que afecten a la estructura o al contenido de cualesquiera de esas bases, tales como las relativas a otros derechos de propiedad intelectual, derecho "sui generis", sobre una base de datos, derecho de propiedad industrial, derecho de la competencia, derecho contractual, secretos, protección de los datos de carácter personal, protección de los tesoros nacionales o sobre el acceso a los documentos públicos.

TÍTULO IV
Dominio público

Artículo 41. Condiciones para la utilización de las obras en dominio público.

La extinción de los derechos de explotación de las obras determinará su paso al dominio público.

Las obras de dominio público podrán ser utilizadas por cualquiera, siempre que se respete la autoría y la integridad de la obra, en los términos previstos en los apartados 3.º y4.º del artículo 14.

TÍTULO V
Transmisión de los derechos

CAPÍTULO I
Disposiciones generales

Artículo 42. Transmisión «mortis causa».

Los derechos de explotación de la obra se transmiten «mortis causa» por cualquiera de los medios admitidos en derecho.

Artículo 43. Transmisión «inter vivos».

1. Los derechos de explotación de la obra pueden transmitirse por actos «inter vivos», quedando limitada la cesión al derecho o derechos cedidos, a las modalidades de explotación expresamente previstas y al tiempo y ámbito territorial que se determinen.

2. La falta de mención del tiempo limita la transmisión a cinco años y la del ámbito territorial al país en el que se realice la cesión. Si no se expresan específicamente y de modo concreto las modalidades de explotación de la obra, la cesión quedará limitada a aquella que se deduzca necesariamente del propio contrato y sea indispensable para cumplir la finalidad del mismo.

3. Será nula la cesión de derechos de explotación respecto del conjunto de las obras que pueda crear el autor en el futuro.

4. Serán nulas las estipulaciones por las que el autor se comprometa a no crear alguna obra en el futuro.

5. La transmisión de los derechos de explotación no alcanza a las modalidades de utilización o medios de difusión inexistentes o desconocidos al tiempo de la cesión.

Artículo 44. Menores de vida independiente.

Los autores menores de dieciocho años y mayores de dieciséis, que vivan de forma independiente con consentimiento de sus padres o tutores o con autorización de la persona o institución que los tengan a su cargo, tienen plena capacidad para ceder derechos de explotación.

Artículo 45. Formalización escrita.

Toda cesión deberá formalizarse por escrito. Si, previo requerimiento fehaciente, el cesionario incumpliere esta exigencia, el autor podrá optar por la resolución del contrato.

Artículo 46. Remuneración proporcional y a tanto alzado.

1. La cesión otorgada por el autor a título oneroso le confiere una participación proporcional en los ingresos de la explotación, en la cuantía convenida con el cesionario.

2. Podrá estipularse, no obstante, una remuneración a tanto alzado para el autor en los siguientes casos:

a) Cuando, atendida la modalidad de la explotación, exista dificultad grave en la determinación de los ingresos o su comprobación sea imposible o de un coste desproporcionado con la eventual retribución.

b) Cuando la utilización de la obra tenga carácter accesorio respecto de la actividad o del objeto material a los que se destinen.

c) Cuando la obra, utilizada con otras, no constituya un elemento esencial de la creación intelectual en la que se integre.

d) En el caso de la primera o única edición de las siguientes obras no divulgadas previamente:

1.º Diccionarios, antologías y enciclopedias.

2.º Prólogos, anotaciones, introducciones y presentaciones.

3.º Obras científicas.

4.º Trabajos de ilustración de una obra.

5.º Traducciones.

6.º Ediciones populares a precios reducidos.

Artículo 47. Acción de revisión por remuneración no equitativa.

1. Si en la cesión se produjese una manifiesta desproporción entre la remuneración inicialmente pactada por el autor en comparación con la totalidad de los ingresos subsiguientes derivados de la explotación de las obras obtenidos por el cesionario o su derechohabiente, aquel podrá pedir la revisión del contrato y, en defecto de acuerdo, acudir al Juez para que fije una remuneración adecuada y equitativa, atendidas las circunstancias del caso.

2. Esta facultad podrá ejercitarse dentro de los diez años siguientes al de la cesión, siempre que no exista pacto expreso acordado al efecto, convenio colectivo o acuerdo sectorial entre los representantes de los autores y los cesionarios que prevean un procedimiento de revisión de la remuneración no equitativa por la cesión de derechos como el indicado en el apartado anterior.

3. Esta acción de revisión no será aplicable a los autores de los programas de ordenador en el sentido del artículo 97, ni a las autorizaciones exclusivas concedidas por las entidades de gestión y los operadores de gestión independiente regulados en el Título IV del Libro II.

Artículo 48. Cesión en exclusiva.

La cesión en exclusiva deberá otorgarse expresamente con este carácter y atribuirá al cesionario, dentro del ámbito de aquélla, la facultad de explotar la obra con exclusión de otra persona, comprendido el propio cedente, y, salvo pacto en contrario, las de otorgar autorizaciones no exclusivas a terceros. Asimismo, le confiere legitimación, con independencia de la del titular cedente, para perseguir las violaciones que afecten a las facultades que se le hayan concedido.

Esta cesión constituye al cesionario en la obligación de poner todos los medios necesarios para la efectividad de la explotación concedida, según la naturaleza de la obra y los usos vigentes en la actividad profesional, industrial o comercial de que se trate.

Artículo 48 bis. Derecho de revocación.

1. Cuando un autor haya concedido una autorización o cedido sus derechos sobre una obra de forma exclusiva podrá resolver, en todo o en parte, la autorización o cesión si la obra no está siendo explotada.

El autor podrá optar, como alternativa a la resolución anterior, por poner fin a la exclusividad del contrato.

El presente apartado no será de aplicación si la ausencia de explotación se debe principalmente a circunstancias que se puede razonablemente esperar sean subsanadas por el autor o el artista intérprete o ejecutante.

2. Quedan excluidas de lo dispuesto en el apartado anterior las obras colectivas, las obras en colaboración y los programas de ordenador.

3. Este derecho podrá ejercerse, previa comunicación, una vez transcurridos cinco años desde la autorización o cesión de los derechos siempre que no exista pacto expreso acordado al efecto, convenio colectivo o acuerdo sectorial en el que se regule el ejercicio de este derecho. La comunicación del autor fijará un plazo no inferior a un año vencido el cual podrá decidir poner fin a la autorización, a la cesión o a la exclusividad del contrato.

4. El derecho regulado en este artículo será irrenunciable.

Artículo 49. Transmisión del derecho del cesionario en exclusiva.

El cesionario en exclusiva podrá transmitir a otro su derecho con el consentimiento expreso del cedente.

En defecto de consentimiento, los cesionarios responderán solidariamente frente al primer cedente de las obligaciones de la cesión.

No será necesario el consentimiento cuando la transmisión se lleve a efecto como consecuencia de la disolución o del cambio de titularidad de la empresa cesionaria.

Artículo 50. Cesión no exclusiva.

1. El cesionario no exclusivo quedará facultado para utilizar la obra de acuerdo con los términos de la cesión y en concurrencia tanto con otros ce-

sionarios como con el propio cedente. Su derecho será intransmisible, salvo en los supuestos previstos en el párrafo tercero del artículo anterior.

2. Las autorizaciones no exclusivas concedidas por las entidades de gestión para utilización de sus repertorios serán, en todo caso, intransmisibles.

Artículo 51. Transmisión de los derechos del autor asalariado.

1. La transmisión al empresario de los derechos de explotación de la obra creada en virtud de una relación laboral se regirá por lo pactado en el contrato, debiendo éste realizarse por escrito.

2. A falta de pacto escrito, se presumirá que los derechos de explotación han sido cedidos en exclusiva y con el alcance necesario para el ejercicio de la actividad habitual del empresario en el momento de la entrega de la obra realizada en virtud de dicha relación laboral.

3. En ningún caso podrá el empresario utilizar la obra o disponer de ella para un sentido o fines diferentes de los que se derivan de lo establecido en los dos apartados anteriores.

4. Las demás disposiciones de esta Ley serán, en lo pertinente, de aplicación a estas transmisiones, siempre que así se derive de la finalidad y objeto del contrato.

5. La titularidad de los derechos sobre un programa de ordenador creado por un trabajador asalariado en el ejercicio de sus funciones o siguiendo las instrucciones de su empresario se regirá por lo previsto en el apartado 4 del artículo 97 de esta Ley.

Artículo 52. Transmisión de derechos para publicaciones periódicas.

Salvo estipulación en contrario, los autores de obras reproducidas en publicaciones periódicas conservan su derecho a explotarlas en cualquier forma que no perjudique la normal de la publicación en la que se hayan insertado.

El autor podrá disponer libremente de su obra, si ésta no se reprodujese en el plazo de un mes desde su envío o aceptación en las publicaciones diarias o en el de seis meses en las restantes, salvo pacto en contrario.

La remuneración del autor de las referidas obras podrá consistir en un tanto alzado.

Artículo 53. Hipoteca y embargo de los derechos de autor.

1. Los derechos de explotación de las obras protegidas en esta Ley podrán ser objeto de hipoteca con arreglo a la legislación vigente.

2. Los derechos de explotación correspondientes al autor no son embargables, pero sí lo son sus frutos o productos, que se considerarán como salarios, tanto en lo relativo al orden de prelación para el embargo, como a retenciones o parte inembargable.

[...]

Artículo 55. Beneficios irrenunciables.

Salvo disposición de la propia Ley, los beneficios que se otorgan en el presente Título a los autores y a sus derechohabientes serán irrenunciables.

Artículo 56. Transmisión de derechos a los propietarios de ciertos soportes materiales.

1. El adquirente de la propiedad del soporte a que se haya incorporado la obra no tendrá, por este solo título, ningún derecho de explotación sobre esta última.

2. No obstante, el propietario del original de una obra de artes plásticas o de una obra fotográfica tendrá el derecho de exposición pública de la obra, aunque ésta no haya sido divulgada, salvo que el autor hubiera excluido expresamente este derecho en el acto de enajenación del original. En todo caso, el autor podrá oponerse al ejercicio de este derecho, mediante la aplicación, en su caso, de las medidas cautelares previstas en esta Ley, cuando la exposición se realice en condiciones que perjudiquen su honor o reputación profesional.

Artículo 57. Aplicación preferente de otras disposiciones.

La transmisión de derechos de autor para su explotación a través de las modalidades de edición, representación o ejecución, o de producción de obras audiovisuales se regirá, respectivamente y en todo caso, por lo establecido en las disposiciones específicas de este Libro I, y en lo no previsto en las mismas, por lo establecido en este capítulo.

Las cesiones de derechos para cada una de las distintas modalidades de explotación deberán formalizarse en documentos independientes.

[...]

TÍTULO VI
Obras cinematográficas y demás obras audiovisuales

Artículo 86. Concepto.

1. Las disposiciones contenidas en el presente Título serán de aplicación a las obras cinematográficas y demás obras audiovisuales, entendiendo por tales las creaciones expresadas mediante una serie de imágenes asociadas, con o sin sonorización incorporada, que estén destinadas esencialmente a ser mostradas a través de aparatos de proyección o por cualquier otro medio de comunicación pública de la imagen y del sonido, con independencia de la naturaleza de los soportes materiales de dichas obras.

2. Todas las obras enunciadas en el presente artículo se denominarán en lo sucesivo obras audiovisuales.

Artículo 87. Autores.

Son autores de la obra audiovisual en los términos previstos en el artículo 7 de esta Ley:

1. El director-realizador.

2. Los autores del argumento, la adaptación y los del guión o los diálogos.

3. Los autores de las composiciones musicales, con o sin letra, creadas especialmente para esta obra.]

Artículo 88. Presunción de cesión en exclusiva y límites.

1. Sin perjuicio de los derechos que corresponden a los autores, por el contrato de producción de la obra audiovisual se presumirán cedidos en exclusiva al productor, con las limitaciones establecidas en este Título, los derechos de reproducción, distribución y comunicación pública, así como los de doblaje o subtitulado de la obra.

No obstante, en las obras cinematográficas será siempre necesaria la autorización expresa de los autores para su explotación, mediante la puesta a disposición del público de copias en cualquier sistema o formato, para su utilización en el ámbito doméstico, o mediante su comunicación pública a través de la radiodifusión.

2. Salvo estipulación en contrario, los autores podrán disponer de su aportación en forma aislada, siempre que no se perjudique la normal explotación de la obra audiovisual.

Artículo 89. Presunción de cesión en caso de transformación de obra preexistente.

1. Mediante el contrato de transformación de una obra preexistente que no esté en el dominio público, se presumirá que el autor de la misma cede al productor de la obra audiovisual los derechos de explotación sobre ella en los términos previstos en el artículo 88.

2. Salvo pacto en contrario, el autor de la obra preexistente conservará sus derechos a explotarla en forma de edición gráfica y de representación escénica y, en todo caso, podrá disponer de ella para otra obra audiovisual a los quince años de haber puesto su aportación a disposición del productor.

Artículo 90. Remuneración de los autores.

1. La remuneración de los autores de la obra audiovisual por la cesión de los derechos mencionados en el artículo 88 y, en su caso, la correspondiente a los autores de las obras preexistentes, hayan sido transformadas o no, deberán determinarse para cada una de las modalidades de explotación concedidas.

2. Cuando los autores a los que se refiere el apartado anterior suscriban con un productor de grabaciones audiovisuales contratos relativos a la producción de las mismas, se presumirá que, salvo pacto en contrario en el contrato y a salvo del derecho irrenunciable a una remuneración equitativa a que se refiere el párrafo siguiente, han transferido su derecho de alquiler.

El autor que haya transferido o cedido a un productor de fonogramas o de grabaciones audiovisuales su derecho de alquiler respecto de un fonograma o un original o una copia de una grabación audiovisual, conservará el derecho irrenunciable a obtener una remuneración equitativa por el alquiler de los mismos. Tales remuneraciones serán exigibles de quienes lleven a efecto las operaciones de alquiler al público de los fonogramas o grabaciones audiovisuales en su condición de derechohabientes de los titulares del correspondiente derecho de autorizar dicho alquiler y se harán efectivas a partir del 1 de enero de 1997.

3. En todo caso, y con independencia de lo pactado en el contrato, cuando la obra audiovisual sea proyectada en lugares públicos mediante el pago

de un precio de entrada, los autores mencionados en el apartado 1 de este artículo tendrán derecho a percibir de quienes exhiban públicamente dicha obra un porcentaje de los ingresos procedentes de dicha exhibición pública. Las cantidades pagadas por este concepto podrán deducirlas los exhibidores de las que deban abonar a los cedentes de la obra audiovisual.

En el caso de exportación de la obra audiovisual, los autores podrán ceder el derecho mencionado por una cantidad alzada, cuando en el país de destino les sea imposible o gravemente dificultoso el ejercicio efectivo del derecho.

Los empresarios de salas públicas o de locales de exhibición deberán poner periódicamente a disposición de los autores las cantidades recaudadas en concepto de dicha remuneración. A estos efectos, el Gobierno podrá establecer reglamentariamente los oportunos procedimientos de control.

4. La proyección o exhibición sin exigir precio de entrada, la transmisión al público por cualquier medio o procedimiento, alámbrico o inalámbrico, incluido, entre otros, la puesta a disposición en la forma establecida en el artículo 20.2.i) de una obra audiovisual, dará derecho a los autores a recibir la remuneración que proceda, de acuerdo con las tarifas generales establecidas por la correspondiente entidad de gestión.

5. Con el objeto de facilitar al autor el ejercicio de los derechos que le correspondan por la explotación de la obra audiovisual, el productor, al menos una vez al año, deberá facilitar a instancia del autor la documentación necesaria.

6. Los derechos establecidos en los apartados 3 y 4 de este artículo serán irrenunciables e intransmisibles por actos «inter vivos» y no serán de aplicación a los autores de obras audiovisuales de carácter publicitario.

7. Los derechos contemplados en los apartados 2, 3 y 4 del presente artículo se harán efectivos a través de las entidades de gestión de los derechos de propiedad intelectual.

Artículo 91. Aportación insuficiente de un autor.

Cuando la aportación de un autor no se completase por negativa injustificada del mismo o por causa de fuerza mayor, el productor podrá utilizar la parte ya realizada, respetando los derechos de aquél sobre la misma, sin perjuicio, en su caso, de la indemnización que proceda.

Artículo 92. Versión definitiva y sus modificaciones.

1. Se considerará terminada la obra audiovisual cuando haya sido establecida la versión definitiva, de acuerdo con lo pactado en el contrato entre el director-realizador y el productor.

2. Cualquier modificación de la versión definitiva de la obra audiovisual mediante añadido, supresión o cambio de cualquier elemento de la misma, necesitará la autorización previa de quienes hayan acordado dicha versión definitiva.

No obstante, en los contratos de producción de obras audiovisuales destinadas esencialmente a la comunicación pública a través de la radiodifusión, se presumirá concedida por los autores, salvo estipulación en contrario, la autorización para realizar en la forma de emisión de la obra las modificaciones estrictamente exigidas por el modo de programación del medio, sin perjuicio en todo caso del derecho reconocido en el apartado 4.º del artículo 14.

Artículo 93. Derecho moral y destrucción de soporte original.

1. El derecho moral de los autores sólo podrá ser ejercido sobre la versión definitiva de la obra audiovisual.

2. Queda prohibida la destrucción del soporte original de la obra audiovisual en su versión definitiva.

Artículo 94. Obras radiofónicas.

Las disposiciones contenidas en el presente Título serán de aplicación, en lo pertinente, a las obras radiofónicas.

TÍTULO VII
Programas de ordenador

Artículo 95. Régimen jurídico.

El derecho de autor sobre los programas de ordenador se regirá por los preceptos del presente Título y, en lo que no esté específicamente previsto en el mismo, por las disposiciones que resulten aplicables de la presente Ley.

Artículo 96. Objeto de la protección.

1. A los efectos de la presente Ley se entenderá por programa de ordenador toda secuencia de instrucciones o indicaciones destinadas a ser utili-

zadas, directa o indirectamente, en un sistema informático para realizar una función o una tarea o para obtener un resultado determinado, cualquiera que fuere su forma de expresión y fijación.

A los mismos efectos, la expresión programas de ordenador comprenderá también su documentación preparatoria. La documentación técnica y los manuales de uso de un programa gozarán de la misma protección que este Título dispensa a los programas de ordenador.

2. El programa de ordenador será protegido únicamente si fuese original, en el sentido de ser una creación intelectual propia de su autor.

3. La protección prevista en la presente Ley se aplicará a cualquier forma de expresión de un programa de ordenador. Asimismo, esta protección se extiende a cualesquiera versiones sucesivas del programa así como a los programas derivados, salvo aquellas creadas con el fin de ocasionar efectos nocivos a un sistema informático.

Cuando los programas de ordenador formen parte de una patente o un modelo de utilidad gozarán, sin perjuicio de lo dispuesto en la presente Ley, de la protección que pudiera corresponderles por aplicación del régimen jurídico de la propiedad industrial.

4. No estarán protegidos mediante los derechos de autor con arreglo a la presente Ley las ideas y principios en los que se basan cualquiera de los elementos de un programa de ordenador incluidos los que sirven de fundamento a sus interfaces.

Artículo 97. Titularidad de los derechos.

1. Será considerado autor del programa de ordenador la persona o grupo de personas naturales que lo hayan creado, o la persona jurídica que sea contemplada como titular de los derechos de autor en los casos expresamente previstos por esta Ley.

2. Cuando se trate de una obra colectiva tendrá la consideración de autor, salvo pacto en contrario, la persona natural o jurídica que la edite y divulgue bajo su nombre.

3. Los derechos de autor sobre un programa de ordenador que sea resultado unitario de la colaboración entre varios autores serán propiedad común y corresponderán a todos éstos en la proporción que determinen.

4. Cuando un trabajador asalariado cree un programa de ordenador, en el ejercicio de las funciones que le han sido confiadas o siguiendo las instrucciones de su empresario, la titularidad de los derechos de explotación correspondientes al programa de ordenador así creado, tanto el programa fuente como el programa objeto, corresponderán, exclusivamente, al empresario, salvo pacto en contrario.

5. La protección se concederá a todas las personas naturales y jurídicas que cumplan los requisitos establecidos en esta Ley para la protección de los derechos de autor.

Artículo 98. Duración de la protección.

1. Cuando el autor sea una persona natural la duración de los derechos de explotación de un programa de ordenador será, según los distintos supuestos que pueden plantearse, la prevista en el capítulo I del Título III de este Libro.

2. Cuando el autor sea una persona jurídica la duración de los derechos a que se refiere el párrafo anterior será de setenta años, computados desde el día 1 de enero del año siguiente al de la divulgación lícita del programa o al de su creación si no se hubiera divulgado.

Artículo 99. Contenido de los derechos de explotación.

Sin perjuicio de lo dispuesto en el artículo 100 de esta Ley los derechos exclusivos de la explotación de un programa de ordenador por parte de quien sea su titular con arreglo al artículo 97, incluirán el derecho de realizar o de autorizar:

a) La reproducción total o parcial, incluso para uso personal, de un programa de ordenador, por cualquier medio y bajo cualquier forma, ya fuere permanente o transitoria. Cuando la carga, presentación, ejecución, transmisión o almacenamiento de un programa necesiten tal reproducción deberá disponerse de autorización para ello, que otorgará el titular del derecho.

b) La traducción, adaptación, arreglo o cualquier otra transformación de un programa de ordenador y la reproducción de los resultados de tales actos, sin perjuicio de los derechos de la persona que transforme el programa de ordenador.

c) Cualquier forma de distribución pública incluido el alquiler del programa de ordenador original o de sus copias.

A tales efectos, cuando se produzca cesión del derecho de uso de un programa de ordenador, se entenderá, salvo prueba en contrario, que dicha cesión tiene carácter no exclusivo e intransferible, presumiéndose, asimismo, que lo es para satisfacer únicamente las necesidades del usuario. La primera venta en la Unión Europea de una copia de un programa por el titular de los derechos o con su consentimiento, agotará el derecho de distribución de dicha copia, salvo el derecho de controlar el subsiguiente alquiler del programa o de una copia del mismo.

Artículo 100. Límites a los derechos de explotación.

1. No necesitarán autorización del titular, salvo disposición contractual en contrario, la reproducción o transformación de un programa de ordenador incluida la corrección de errores, cuando dichos actos sean necesarios para la utilización del mismo por parte del usuario legítimo, con arreglo a su finalidad propuesta.

2. La realización de una copia de seguridad por parte de quien tiene derecho a utilizar el programa no podrá impedirse por contrato en cuanto resulte necesaria para dicha utilización.

3. El usuario legítimo de la copia de un programa estará facultado para observar, estudiar o verificar su funcionamiento, sin autorización previa del titular, con el fin de determinar las ideas y principios implícitos en cualquier elemento del programa, siempre que lo haga durante cualquiera de las operaciones de carga, visualización, ejecución, transmisión o almacenamiento del programa que tiene derecho a hacer.

4. El autor, salvo pacto en contrario, no podrá oponerse a que el cesionario titular de derechos de explotación realice o autorice la realización de versiones sucesivas de su programa ni de programas derivados del mismo.

5. No será necesaria la autorización del titular del derecho cuando la reproducción del código y la traducción de su forma en el sentido de los párrafos a) y b) del artículo 99 de la presente Ley, sea indispensable para obtener la información necesaria para la interoperabilidad de un programa creado de forma independiente con otros programas, siempre que se cumplan los siguientes requisitos:

a) Que tales actos sean realizados por el usuario legítimo o por cualquier otra persona facultada para utilizar una copia del programa, o, en su nombre, por parte de una persona debidamente autorizada.

b) Que la información necesaria para conseguir la interoperabilidad no haya sido puesta previamente y de manera fácil y rápida, a disposición de las personas a que se refiere el párrafo anterior.

c) Que dichos actos se limiten a aquellas partes del programa original que resulten necesarias para conseguir la interoperabilidad.

6. La excepción contemplada en el apartado 5 de este artículo será aplicable siempre que la información así obtenida:

a) Se utilice únicamente para conseguir la interoperabilidad del programa creado de forma independiente.

b) Sólo se comunique a terceros cuando sea necesario para la interoperabilidad del programa creado de forma independiente.

c) No se utilice para el desarrollo, producción o comercialización de un programa sustancialmente similar en su expresión, o para cualquier otro acto que infrinja los derechos de autor.

7. Las disposiciones contenidas en los apartados 5 y 6 del presente artículo no podrán interpretarse de manera que permitan que su aplicación perjudique de forma injustificada los legítimos intereses del titular de los derechos o sea contraria a una explotación normal del programa informático.

Artículo 101. Protección registral.

Los derechos sobre los programas de ordenador, así como sobre sus sucesivas versiones y los programas derivados, podrán ser objeto de inscripción en el Registro de la Propiedad Intelectual.

Reglamentariamente se determinarán aquellos elementos de los programas registrados que serán susceptibles de consulta pública.

Artículo 102. Infracción de los derechos.

A efectos del presente Título y sin perjuicio de lo establecido en el artículo 100 tendrán la consideración de infractores de los derechos de autor quienes, sin autorización del titular de los mismos, realicen los actos previstos en el artículo 99 y en particular:

a) Quienes pongan en circulación una o más copias de un programa de ordenador conociendo o pudiendo presumir su naturaleza ilegítima.

b) Quienes tengan con fines comerciales una o más copias de un programa de ordenador, conociendo o pudiendo presumir su naturaleza ilegítima.

c) Quienes pongan en circulación o tengan con fines comerciales cualquier instrumento cuyo único uso sea facilitar la supresión o neutralización no autorizadas de cualquier dispositivo técnico utilizado para proteger un programa de ordenador.

Artículo 103. Medidas de protección.

El titular de los derechos reconocidos en el presente Título podrá instar las acciones y procedimientos que, con carácter general, se disponen en el Título I, Libro III de la presente Ley y las medidas cautelares procedentes, conforme a lo dispuesto en la Ley de Enjuiciamiento Civil.

Artículo 104. Salvaguardia de aplicación de otras disposiciones legales.

Lo dispuesto en el presente Título se entenderá sin perjuicio de cualesquiera otras disposiciones legales tales como las relativas a los derechos de patente, marcas, competencia desleal, secretos comerciales, protección de productos semiconductores o derecho de obligaciones.

LIBRO SEGUNDO
De los otros derechos de propiedad intelectual y de la protección «sui generis» de las bases de datos

TÍTULO I
Derechos de los artistas intérpretes o ejecutantes

Artículo 105. Definición de artistas intérpretes o ejecutantes.

Se entiende por artista intérprete o ejecutante a la persona que represente, cante, lea, recite, interprete o ejecute en cualquier forma una obra. El director de escena y el director de orquesta tendrán los derechos reconocidos a los artistas en este Título.

Artículo 106. Fijación.

1. Corresponde al artista intérprete o ejecutante el derecho exclusivo de autorizar la fijación de sus actuaciones.

2. Dicha autorización deberá otorgarse por escrito.

Artículo 107. Reproducción.

1. Corresponde al artista intérprete o ejecutante el derecho exclusivo de autorizar la reproducción, según la definición establecida en el artículo 18, de las fijaciones de sus actuaciones.

2. Dicha autorización deberá otorgarse por escrito.

3. Este derecho podrá transferirse, cederse o ser objeto de la concesión de licencias contractuales.

Artículo 108. Comunicación pública.

1. Corresponde al artista intérprete o ejecutante el derecho exclusivo de autorizar la comunicación pública:

a) De sus actuaciones, salvo cuando dicha actuación constituya en sí una actuación transmitida por radiodifusión o se realice a partir de una fijación previamente autorizada.

b) En cualquier caso, de las fijaciones de sus actuaciones, mediante la puesta a disposición del público, en la forma establecida en el artículo 20.2.i).

En ambos casos, la autorización deberá otorgarse por escrito.

Cuando la comunicación al público se realice vía satélite o por cable y en los términos previstos, respectivamente, en los apartados 3 y 4 del artículo 20 y concordantes de esta ley, será de aplicación lo dispuesto en tales preceptos.

2. Cuando el artista intérprete o ejecutante celebre individual o colectivamente con un productor de fonogramas o de grabaciones audiovisuales contratos relativos a la producción de éstos, se presumirá que, salvo pacto en contrario en el contrato y a salvo del derecho irrenunciable a la remuneración equitativa a que se refiere el apartado siguiente, ha transferido su derecho de puesta a disposición del público a que se refiere el apartado 1.b).

3. El artista intérprete o ejecutante que haya transferido o cedido a un productor de fonogramas o de grabaciones audiovisuales su derecho de puesta a disposición del público a que se refiere el apartado 1.b), respecto de un fonograma o de un original o una copia de una grabación audiovisual, conservará el derecho irrenunciable a obtener una remuneración equitativa de quien realice tal puesta a disposición.

4. Los usuarios de un fonograma publicado con fines comerciales, o de una reproducción de dicho fonograma que se utilice para cualquier forma de comunicación pública, tienen obligación de pagar una remuneración equitativa y única a los artistas intérpretes o ejecutantes y a los productores de fonogramas, entre los cuales se efectuará el reparto de aquélla. A falta de acuerdo entre ellos sobre dicho reparto, éste se realizará por partes iguales. Se excluye de dicha obligación de pago la puesta a disposición del público en la forma establecida en el artículo 20.2.i), sin perjuicio de lo establecido en el apartado 3 de este artículo.

5. Los usuarios de las grabaciones audiovisuales que se utilicen para los actos de comunicación pública previstos en el artículo 20.2.f) y g) tienen obligación de pagar a los artistas intérpretes o ejecutantes y a los productores de grabaciones audiovisuales la remuneración que proceda, de acuerdo con las tarifas generales establecidas por la correspondiente entidad de gestión.

Los usuarios de grabaciones audiovisuales que se utilicen para cualquier acto de comunicación al público, distinto de los señalados en el párrafo anterior y de la puesta a disposición del público prevista en el apartado 1.b), tienen asimismo la obligación de pagar una remuneración equitativa a los artistas intérpretes o ejecutantes, sin perjuicio de lo establecido en el apartado 3.

6. El derecho a las remuneraciones a que se refieren los apartados 3, 4 y 5 se hará efectivo a través de las entidades de gestión de los derechos de propiedad intelectual. La efectividad de los derechos a través de las respectivas entidades de gestión comprenderá la negociación con los usuarios, la determinación, la recaudación y la distribución de la remuneración correspondiente, así como cualquier otra actuación necesaria para asegurar la efectividad de aquéllos.

Artículo 109. Distribución.

1. El artista intérprete o ejecutante tiene, respecto de la fijación de sus actuaciones, el derecho exclusivo de autorizar su distribución, según la definición establecida por el artículo

19.1 de esta Ley. Este derecho podrá transferirse, cederse o ser objeto de concesión de licencias contractuales.

2. Cuando la distribución se efectúe mediante venta u otro título de transmisión de la propiedad, en el ámbito de la Unión Europea, por el propio titular del derecho o con su consentimiento, este derecho se agotará con la

primera, si bien sólo para las ventas y transmisiones de propiedad sucesivas que se realicen en dicho ámbito territorial

3. A los efectos de este Título, se entiende por alquiler de fijaciones de las actuaciones la puesta a disposición de las mismas para su uso por tiempo limitado y con un beneficio económico o comercial directo o indirecto.

Quedan excluidas del concepto de alquiler la puesta a disposición con fines de exposición, de comunicación pública a partir de fonogramas o de grabaciones audiovisuales, incluso de fragmentos de unos y otras, y la que se realice para consulta «in situ»:

1.º Cuando el artista intérprete o ejecutante celebre individual o colectivamente con un productor de grabaciones audiovisuales contratos relativos a la producción de las mismas, se presumirá que, salvo pacto en contrario en el contrato y a salvo del derecho irrenunciable a la remuneración equitativa a que se refiere el apartado siguiente, ha transferido sus derechos de alquiler.

2.º El artista intérprete o ejecutante que haya transferido o cedido a un productor de fonogramas o de grabaciones audiovisuales su derecho de alquiler respecto de un fonograma, o un original, o una copia de una grabación audiovisual, conservará el derecho irrenunciable a obtener una remuneración equitativa por el alquiler de los mismos. Tales remuneraciones serán exigibles de quienes lleven a efecto las operaciones de alquiler al público de los fonogramas o grabaciones audiovisuales en su condición de derechohabientes de los titulares de los correspondientes derechos de autorizar dicho alquiler y se harán efectivas a partir del 1 de enero de 1997.

El derecho contemplado en el párrafo anterior se hará efectivo a través de las entidades de gestión de los derechos de propiedad intelectual.

4. A los efectos de este Título, se entiende por préstamo de las fijaciones de las actuaciones la puesta a disposición de las mismas para su uso por tiempo limitado sin beneficio económico o comercial directo o indirecto, siempre que dicho préstamo se lleve a cabo a través de establecimientos accesibles al público.

Se entenderá que no existe beneficio económico o comercial directo ni indirecto cuando el préstamo efectuado por un establecimiento accesible al público dé lugar al pago de una cantidad que no exceda de lo necesario para cubrir sus gastos de funcionamiento.

Quedan excluidas del concepto de préstamo las operaciones mencionadas en el párrafo segundo del anterior apartado 3 y las que se efectúen entre establecimientos accesibles al público.

Artículo 110. Contrato de trabajo y de arrendamiento de servicios.

1. Si la interpretación o ejecución se realiza en cumplimiento de un contrato de trabajo o de arrendamiento de servicios, se entenderá, salvo estipulación en contrario, que el empresario o el arrendatario adquieren sobre aquéllas los derechos exclusivos de autorizar la reproducción y la comunicación pública previstos en este título y que se deduzcan de la naturaleza y objeto del contrato.

2. Lo establecido en el apartado anterior no será de aplicación a los derechos de remuneración reconocidos en los apartados 3, 4 y 5 del artículo 108.

3. A la remuneración pactada por el artista, intérprete o ejecutante con el empresario o arrendatario por la cesión de sus derechos, le será aplicable lo dispuesto en el artículo 47.

4. El derecho de revocación regulado en artículo 48 bis, y las obligaciones de información del cesionario o licenciatario de derechos de propiedad intelectual, establecidas en el artículo 75 del Real Decreto-ley 24/2021, de 2 de noviembre, de transposición de directivas de la Unión Europea en las materias de bonos garantizados, distribución transfronteriza de organismos de inversión colectiva, datos abiertos y reutilización de la información del sector público, ejercicio de derechos de autor y derechos afines aplicables a determinadas transmisiones en línea y a las retransmisiones de programas de radio y televisión, exenciones temporales a determinadas importaciones y suministros, de personas consumidoras y para la promoción de vehículos de transporte por carretera limpios y energéticamente eficientes, serán aplicables con respecto a los artistas, intérpretes o ejecutantes en los términos establecidos en el citado artículo 48 bis y en dicha legislación.

Artículo 110 bis. Disposiciones relativas a la cesión de derechos al productor de fonogramas.

1. Si, una vez transcurridos cincuenta años desde la publicación lícita del fonograma o, en caso de no haberse producido esta última, cincuenta años desde su comunicación lícita al público, no se pone a la venta un número

suficiente de copias que satisfaga razonablemente las necesidades estimadas del público de acuerdo con la naturaleza y finalidad del fonograma, o no se pone a disposición del público, en la forma establecida en el artículo 20.2.i), el artista intérprete o ejecutante podrá poner fin al contrato en virtud del cual cede sus derechos con respecto a la grabación de su interpretación o ejecución al productor de fonogramas.

El derecho a resolver el contrato de cesión podrá ejercerse si, en el plazo de un año desde la notificación fehaciente del artista intérprete o ejecutante de su intención de resolver el contrato de cesión conforme a lo dispuesto en el párrafo anterior, el productor no lleva a cabo ambos actos de explotación mencionados en dicho párrafo. Esta posibilidad de resolución no podrá ser objeto de renuncia por parte del artista intérprete o ejecutante.

Cuando un fonograma contenga la grabación de las interpretaciones o ejecuciones de varios artistas intérpretes o ejecutantes, éstos sólo podrán resolver el contrato de cesión de conformidad con el artículo 111. Si se pone fin al contrato de cesión de conformidad con lo especificado en el presente apartado, expirarán los derechos del productor del fonograma sobre éste.

2. Cuando un contrato de cesión otorgue al artista intérprete o ejecutante el derecho a una remuneración única, tendrá derecho a percibir una remuneración anual adicional por cada año completo una vez transcurridos cincuenta años desde la publicación lícita del fonograma o, en caso de no haberse producido esta última, cincuenta años desde su comunicación lícita al público. El derecho a obtener esa remuneración anual adicional, cuyo deudor será el productor del fonograma o, en su caso, su cesionario en exclusiva, no podrá ser objeto de renuncia por parte del artista intérprete o ejecutante, y se hará efectivo a través de las entidades de gestión de los derechos de propiedad intelectual de los artistas intérpretes o ejecutantes.

El importe total de los fondos que el deudor deba destinar al pago de la remuneración adicional anual mencionada en el párrafo anterior será igual al 20 por ciento de los ingresos brutos que haya obtenido, en el año precedente a aquél en el que se abone la remuneración, por la reproducción, distribución y puesta a disposición del público, en la forma establecida en el artículo 20.2.i), de los fonogramas en cuestión, una vez transcurridos cincuenta años desde la publicación lícita del fonograma o, en caso de no haberse producido esta última, cincuenta años desde su comunicación lícita al público.

Quedan excluidas del cálculo de los ingresos a que se refiere el párrafo anterior las cantidades percibidas por el deudor en concepto de compensación equitativa por copia privada y alquiler de fonogramas.

Los deudores de la remuneración anual adicional a que se refiere este apartado estarán obligados a facilitar anualmente, previa solicitud, a la entidad de gestión correspondiente, toda la información que pueda resultar necesaria a fin de asegurar el pago de dicha remuneración.

3. Cuando un artista intérprete o ejecutante tenga derecho a pagos periódicos, no se deducirán de los importes abonados al artista intérprete o ejecutante ningún pago anticipado ni deducciones establecidas contractualmente al cumplirse cincuenta años desde la publicación lícita del fonograma o, en caso de no haberse producido esta última, cincuenta años desde su comunicación lícita al público.

Artículo 111. Representante de colectivo.

Los artistas intérpretes o ejecutantes que participen colectivamente en una misma actuación, tales como los componentes de un grupo musical, coro, orquesta, ballet o compañía de teatro, deberán designar de entre ellos un representante para el otorgamiento de las autorizaciones mencionadas en este Título. Para tal designación, que deberá formalizarse por escrito, valdrá el acuerdo mayoritario de los intérpretes. Esta obligación no alcanza a los solistas ni a los directores de orquesta o de escena.

Artículo 112. Duración de los derechos de explotación.

Los derechos de explotación reconocidos a los artistas intérpretes o ejecutantes tendrán una duración de cincuenta años, computados desde el día 1 de enero del año siguiente al de la interpretación o ejecución.

No obstante, si, dentro de dicho período, se publica o se comunica lícitamente al público, por un medio distinto al fonograma, una grabación de la interpretación o ejecución, los mencionados derechos expirarán a los cincuenta años computados desde el día 1 de enero del año siguiente a la fecha de la primera publicación o la primera comunicación pública, si ésta es anterior. Si la publicación o comunicación pública de la grabación de la interpretación o ejecución se produjera en un fonograma, los mencionados derechos expirarán a los setenta años computados desde el día 1 de enero del año siguiente a la fecha de la primera publicación o la primera comunicación pública, si ésta es anterior.

Artículo 113. Derechos morales.

1. El artista intérprete o ejecutante goza del derecho irrenunciable e inalienable al reconocimiento de su nombre sobre sus interpretaciones o ejecuciones, excepto cuando la omisión venga dictada por la manera de utilizarlas, y a oponerse a toda deformación, modificación, mutilación o cualquier atentado sobre su actuación que lesione su prestigio o reputación.

2. Será necesaria la autorización expresa del artista, durante toda su vida, para el doblaje de su actuación en su propia lengua.

3. Fallecido el artista, el ejercicio de los derechos mencionados en el apartado 1 corresponderá sin límite de tiempo a la persona natural o jurídica a la que el artista se lo haya confiado expresamente por disposición de última voluntad o, en su defecto, a los herederos.

Siempre que no existan las personas a las que se refiere el párrafo anterior o se ignore su paradero, el Estado, las comunidades autónomas, las corporaciones locales y las instituciones públicas de carácter cultural estarán legitimadas para ejercer los derechos previstos en él.

TÍTULO II
Derechos de los productores de fonogramas

Artículo 114. Definiciones.

1. Se entiende por fonograma toda fijación exclusivamente sonora de la ejecución de una obra o de otros sonidos.

2. Es productor de un fonograma la persona natural o jurídica bajo cuya iniciativa y responsabilidad se realiza por primera vez la mencionada fijación. Si dicha operación se efectúa en el seno de una empresa, el titular de ésta será considerado productor del fonograma.

Artículo 115. Reproducción.

Corresponde al productor de fonogramas el derecho exclusivo de autorizar su reproducción, según la definición establecida en el artículo 18.

Este derecho podrá transferirse, cederse o ser objeto de concesión de licencias contractuales.

Artículo 116. Comunicación pública.

1. Corresponde al productor de fonogramas el derecho exclusivo de autorizar la comunicación pública de sus fonogramas y de las reproducciones de éstos en la forma establecida en el artículo 20.2.i).

Cuando la comunicación al público se realice vía satélite o por cable y en los términos previstos, respectivamente, en los apartados 3 y 4 del artículo 20, será de aplicación lo dispuesto en tales preceptos.

2. Los usuarios de un fonograma publicado con fines comerciales, o de una reproducción de dicho fonograma que se utilice para cualquier forma de comunicación pública, tienen obligación de pagar una remuneración equitativa y única a los productores de fonogramas y a los artistas intérpretes o ejecutantes, entre los cuales se efectuará el reparto de aquélla. A falta de acuerdo entre ellos sobre dicho reparto, éste se realizará por partes iguales. Se excluye de dicha obligación de pago la puesta a disposición del público en la forma establecida en el artículo 20.2.i), sin perjuicio de lo establecido en el apartado 3 del artículo 108.

3. El derecho a la remuneración equitativa y única a que se refiere el apartado anterior se hará efectivo a través de las entidades de gestión de los derechos de propiedad intelectual. La efectividad de este derecho a través de las respectivas entidades de gestión comprenderá la negociación con los usuarios, la determinación, recaudación y distribución de la remuneración correspondiente, así como cualquier otra actuación necesaria para asegurar la efectividad de aquél.

Artículo 117. Distribución.

1. Corresponde al productor de fonogramas el derecho exclusivo de autorizar la distribución, según la definición establecida en el artículo 19.1 de esta Ley, de los fonogramas y la de sus copias. Este derecho podrá transferirse, cederse o ser objeto de la concesión de licencias contractuales.

2. Cuando la distribución se efectúe mediante venta u otro título de transmisión de la propiedad, en el ámbito de la Unión Europea, por el propio titular del derecho o con su consentimiento, este derecho se agotará con la primera, si bien sólo para las ventas y transmisiones de propiedad sucesivas que se realicen en dicho ámbito territorial.

3. Se considera comprendida en el derecho de distribución la facultad de autorizar la importación y exportación de copias del fonograma con fines de comercialización.

4. A los efectos de este Título, se entiende por alquiler de fonogramas la puesta a disposición de los mismos para su uso por tiempo limitado y con un beneficio económico o comercial directo o indirecto.

Quedan excluidas del concepto de alquiler la puesta a disposición con fines de exposición, de comunicación pública a partir de fonogramas o de fragmentos de éstos, y la que se realice para consulta «in situ».

5. A los efectos de este Título se entiende por préstamo de fonogramas la puesta a disposición para su uso, por tiempo limitado, sin beneficio económico o comercial, directo ni indirecto, siempre que dicho préstamo se lleve a cabo a través de establecimientos accesibles al público.

Se entenderá que no existe beneficio económico o comercial, directo ni indirecto, cuando el préstamo efectuado por un establecimiento accesible al público dé lugar al pago de una cantidad que no exceda de lo necesario para cubrir sus gastos de funcionamiento.

Quedan excluidas del concepto de préstamo las operaciones mencionadas en el párrafo segundo del anterior apartado 4 y las que se efectúen entre establecimientos accesibles al público.

Artículo 118. Legitimación activa.

En los casos de infracción de los derechos reconocidos en los artículos 115 y 117 corresponderá el ejercicio de las acciones procedentes tanto al productor fonográfico como al cesionario de los mismos.

Artículo 119. Duración de los derechos.

Los derechos de los productores de fonogramas expirarán cincuenta años después de que se haya hecho la grabación. No obstante, si el fonograma se publica lícitamente durante dicho período, los derechos expirarán setenta años después de la fecha de la primera publicación lícita. Si durante el citado período no se efectúa publicación lícita alguna pero el fonograma se comunica lícitamente al público, los derechos expirarán setenta años después de la fecha de la primera comunicación lícita al público.

Todos los plazos se computarán desde el 1 de enero del año siguiente al momento de la grabación, publicación o comunicación al público.

[...]

TÍTULO V
La protección de las meras fotografías

Artículo 128. De las meras fotografías.

Quien realice una fotografía u otra reproducción obtenida por procedimiento análogo a aquélla, cuando ni una ni otra tengan el carácter de obras protegidas en el Libro I, goza del derecho exclusivo de autorizar su reproducción, distribución y comunicación pública, en los mismos términos reconocidos en la presente Ley a los autores de obras fotográficas.

Este derecho tendrá una duración de veinticinco años computados desde el día 1 de enero del año siguiente a la fecha de realización de la fotografía o reproducción.

TÍTULO VI
La protección de determinadas producciones editoriales

Artículo 129. Obras inéditas en dominio público y obras no protegidas.

1. Toda persona que divulgue lícitamente una obra inédita que esté en dominio público tendrá sobre ella los mismos derechos de explotación que hubieran correspondido a su autor.

2. Del mismo modo, los editores de obras no protegidas por las disposiciones del Libro I de la presente Ley, gozarán del derecho exclusivo de autorizar la reproducción, distribución y comunicación pública de dichas ediciones siempre que puedan ser individualizadas por su composición tipográfica, presentación y demás características editoriales.

Artículo 129 bis. Derechos de las editoriales de publicaciones de prensa y agencias de noticias respecto a los usos en línea de sus publicaciones de prensa.

1. Las editoriales de publicaciones de prensa y agencias de noticias establecidas en el territorio español, cuando publican publicaciones de prensa

en el sentido de este artículo, tendrán el derecho exclusivo de reproducción directa o indirecta, provisional o permanente, por cualquier medio y en cualquier forma, de la totalidad o parte de una publicación de prensa así como el derecho exclusivo de puesta a disposición del público, por procedimientos alámbricos o inalámbricos para el uso en línea de sus publicaciones de prensa por parte de prestadores de servicios de la sociedad de la información.

Estos derechos no podrán ser invocados frente a los autores y otros titulares de derechos y, en particular, por sí mismos no privarán a éstos del derecho a explotar sus obras y otras prestaciones con independencia de la publicación de prensa a la que se incorporen.

2. La reproducción o puesta a disposición del público por terceros usuarios de cualquier texto, imagen, obra fotográfica o mera fotografía que sean objeto de este derecho estará sujeta a autorización y no excluirá la responsabilidad civil o penal del tercero usuario que eventualmente se pudiera derivar de la utilización no autorizada del contenido publicado.

3. Las editoriales de publicaciones de prensa y agencias de noticias podrán autorizar el ejercicio de los derechos reconocidos en el apartado 1 del presente artículo a los prestadores de servicios de la sociedad de la información. La negociación de dichas autorizaciones se realizará de acuerdo con los principios de buena fe contractual, diligencia debida, transparencia y respeto a las reglas de la libre competencia, excluyendo el abuso de posición de dominio en la negociación.

Dicha autorización se recogerá en un acuerdo celebrado al efecto con el prestador de servicios de la sociedad de la información, que deberá reunir los siguientes requisitos:

a) Se deberá respetar la independencia editorial de las editoriales de publicaciones de prensa y agencias de noticias.

b) El prestador de servicios de la sociedad de la información, en el marco de la relación contractual que establezca con la editorial de publicaciones de prensa o agencia de noticias, deberá informar de forma detallada y suficiente sobre los parámetros principales que rigen la clasificación de los contenidos y la importancia relativa de dichos parámetros principales, atendiendo a lo establecido en el Reglamento (UE) 2019/1150 del Parlamento Europeo y del Consejo, de 20 de junio de 2019, sobre el fomento de la equidad y la transparencia para los usuarios profesionales de servicios de intermediación en línea. Esta información deberá mantenerse actualizada.

c) No cabrá establecer otros contratos o prestaciones vinculados a este acuerdo que no se refieran a las explotaciones de las publicaciones de prensa.

d) Será competente para conocer de las cuestiones litigiosas sobre el acuerdo la Sección Primera de la Comisión de Propiedad Intelectual, contra cuyas resoluciones cabrá recurso ante los órganos jurisdiccionales españoles que resulten competentes.

4. No obstante lo establecido en el apartado anterior, las editoriales de publicaciones de prensa y agencias de noticias podrán otorgar las autorizaciones para el ejercicio de los derechos reconocidos en el apartado 1 a través de los mecanismos de gestión colectiva, según lo establecido en la presente ley. En estos casos, deberán también respetarse los requisitos del apartado anterior.

5. A los efectos de este artículo, se entenderá por publicación de prensa una recopilación compuesta principalmente por obras literarias de carácter periodístico que también incluye otro tipo de obras, en particular fotografías y videos, u otras prestaciones, y que:

a) Constituye un cuerpo unitario publicado de forma periódica o actualizado regularmente bajo un único título, como un periódico o una revista de interés general o especial;

b) Tiene por finalidad proporcionar al público en general información sobre noticias u otros temas, y

c) Se publica en cualquier medio de comunicación por iniciativa y bajo responsabilidad de la editorial y el control de un prestador de servicios.

6. Los derechos reconocidos en el apartado 1 no serán aplicables a:

a) El uso privado o no comercial de las publicaciones de prensa por parte de usuarios individuales.

b) Los actos de hiperenlace.

c) Al uso de palabras sueltas o extractos muy breves o poco significativos, tanto desde el punto de vista cuantitativo como cualitativo, de publicaciones de prensa por los prestadores de servicios de la sociedad de la información cuando dicho uso en línea no perjudique a las inversiones realizadas por las editoriales de publicaciones de prensa y agencias de noticias para la publicación de los contenidos y no afecte a la efectividad de los derechos reconocidos en el presente artículo.

d) Los contenidos literarios que no tengan la condición de publicación de prensa, que se regirán por lo establecido al efecto en el presente texto refundido.

e) Las publicaciones periódicas con fines científicos o académicos, como las revistas científicas.

f) Los sitios web, como blogs, que proporcionan información como parte de una actividad que no se lleva a cabo por iniciativa ni con la responsabilidad y control editorial de un prestador de servicios como los que caracterizan a una editorial de noticias.

g) Los contenidos cuyo uso esté amparado por una excepción o un límite a los derechos de autor o los derechos afines.

7. No podrán invocarse los derechos reconocidos en este artículo:

a) Para prohibir su utilización por otros usuarios autorizados, cuando una obra u otra prestación sea incorporada a una publicación de prensa sobre la base de una autorización no exclusiva.

b) Para prohibir la utilización de obras cuya protección haya expirado.

8. Los autores de las obras incorporadas a una publicación de prensa recibirán una parte adecuada de los ingresos que las editoriales de publicaciones de prensa o agencias de noticias perciban por el uso de sus publicaciones de prensa por parte de prestadores de servicios de la sociedad de la información. Para el ejercicio de este derecho, los autores podrán también acudir, de forma potestativa, a los mecanismos de gestión colectiva establecidos en la presente ley.

Artículo 130. Duración de los derechos.

1. Los derechos reconocidos en el artículo 129.1 durarán veinticinco años, computados desde el día 1 de enero del año siguiente al de la divulgación lícita de la obra.

2. Los derechos reconocidos en el artículo 129.2 durarán veinticinco años, computados desde el día 1 de enero del año siguiente al de la publicación.

3. Los derechos reconocidos en el artículo 129 bis durarán dos años contados desde el 1 de enero del año siguiente al de la fecha de la publicación de prensa.

TÍTULO VII
Disposiciones comunes a los otros derechos de propiedad intelectual

Artículo 131. Cláusula de salvaguardia de los derechos de autor.

Los otros derechos de propiedad intelectual reconocidos en este Libro II se entenderán sin perjuicio de los que correspondan a los autores.

Artículo 132. Aplicación subsidiaria de las disposiciones del Libro I.

Las disposiciones contenidas en el artículo 6.1, en la sección 2.ª del capítulo III, del Título II y en el capítulo II del Título III, salvo lo establecido en el párrafo segundo del apartado segundo del artículo 37, ambos del Libro I de la presente Ley, se aplicarán, con carácter subsidiario y en lo pertinente, a los otros derechos de propiedad intelectual regulados en este Libro.

TÍTULO VIII
Derecho "sui generis" sobre las bases de datos

Artículo 133. Objeto de protección.

1. El derecho «sui generis» sobre una base de datos protege la inversión sustancial, evaluada cualitativa o cuantitativamente, que realiza su fabricante ya sea de medios financieros, empleo de tiempo, esfuerzo, energía u otros de similar naturaleza, para la obtención, verificación o presentación de su contenido.

Mediante el derecho al que se refiere el párrafo anterior, el fabricante de una base de datos, definida en el artículo 12.2 del presente texto refundido de la Ley de Propiedad Intelectual, puede prohibir la extracción y/o reutilización de la totalidad o de una parte sustancial del contenido de ésta, evaluada cualitativa o cuantitativamente, siempre que la obtención, la verificación o la presentación de dicho contenido representen una inversión sustancial desde el punto de vista cuantitativo o cualitativo. Este derecho podrá transferirse, cederse o darse en licencia contractual.

2. No obstante lo dispuesto en el párrafo segundo del apartado anterior, no estarán autorizadas la extracción y/o reutilización repetidas o sistemáticas de partes no sustanciales del contenido de una base de datos que supongan actos contrarios a una explotación normal de dicha base o que causen un perjuicio injustificado a los intereses legítimos del fabricante de la base.

3. A los efectos del presente Título se entenderá por:

a) Fabricante de la base de datos, la persona natural o jurídica que toma la iniciativa y asume el riesgo de efectuar las inversiones sustanciales orientadas a la obtención, verificación o presentación de su contenido.

b) Extracción, la transferencia permanente o temporal de la totalidad o de una parte sustancial del contenido de una base de datos a otro soporte cualquiera que sea el medio utilizado o la forma en que se realice.

c) Reutilización, toda forma de puesta a disposición del público de la totalidad o de una parte sustancial del contenido de la base mediante la distribución de copias en forma de venta u otra transferencia de su propiedad o por alquiler, o mediante transmisión en línea o en otras formas. A la distribución de copias en forma de venta en el ámbito de la Unión Europea le será de aplicación lo dispuesto en el apartado 2 del artículo 19 de la presente Ley.

4. El derecho contemplado en el párrafo segundo del anterior apartado 1 se aplicará con independencia de la posibilidad de que dicha base de datos o su contenido esté protegida por el derecho de autor o por otros derechos. La protección de las bases de datos por el derecho contemplado en el párrafo segundo del anterior apartado 1 se entenderá sin perjuicio de los derechos existentes sobre su contenido.

Artículo 134. Derechos y obligaciones del usuario legítimo.

1. El fabricante de una base de datos, sea cual fuere la forma en que haya sido puesta a disposición del público, no podrá impedir al usuario legítimo de dicha base extraer y/o reutilizar partes no sustanciales de su contenido, evaluadas de forma cualitativa o cuantitativa, con independencia del fin a que se destine.

En los supuestos en que el usuario legítimo esté autorizado a extraer y/o reutilizar sólo parte de la base de datos, lo dispuesto en el párrafo anterior se aplicará únicamente a dicha parte.

2. El usuario legítimo de una base de datos, sea cual fuere la forma en que haya sido puesta a disposición del público, no podrá efectuar los siguientes actos:

a) Los que sean contrarios a una explotación normal de dicha base o lesionen injustificadamente los intereses legítimos del fabricante de la base.

b) Los que perjudiquen al titular de un derecho de autor o de uno cualquiera de los derechos reconocidos en los Títulos I a VI del Libro II de la presente Ley que afecten a obras o prestaciones contenidas en dicha base.

3. Cualquier pacto en contrario a lo establecido en esta disposición será nulo de pleno derecho.

Artículo 135. Excepciones al derecho «sui generis».

1. El usuario legítimo de una base de datos, sea cual fuere la forma en que ésta haya sido puesta a disposición del público, podrá, sin autorización del fabricante de la base, extraer y/o reutilizar una parte sustancial del contenido de la misma, en los siguientes casos:

a) Cuando se trate de una extracción para fines privados del contenido de una base de datos no electrónica.

b) Cuando se trate de una extracción con fines ilustrativos de enseñanza o de investigación científica en la medida justificada por el objetivo no comercial que se persiga y siempre que se indique la fuente.

c) Cuando se trate de una extracción y/o reutilización para fines de seguridad pública o a efectos de un procedimiento administrativo o judicial.

2. Las disposiciones del apartado anterior no podrán interpretarse de manera tal que permita su aplicación de forma que cause un perjuicio injustificado a los intereses legítimos del titular del derecho o que vaya en detrimento de la explotación normal del objeto protegido.

Artículo 136. Plazo de protección.

1. El derecho contemplado en el artículo 133 nacerá en el mismo momento en que se dé por finalizado el proceso de fabricación de la base de datos, y expirará quince años después del 1 de enero del año siguiente a la fecha en que haya terminado dicho proceso.

2. En los casos de bases de datos puestas a disposición del público antes de la expiración del período previsto en el apartado anterior, el plazo de pro-

tección expirará a los quince años, contados desde el 1 de enero siguiente a la fecha en que la base de datos hubiese sido puesta a disposición del público por primera vez.

3. Cualquier modificación sustancial, evaluada de forma cuantitativa o cualitativa del contenido de una base de datos y, en particular, cualquier modificación sustancial que resulte de la acumulación de adiciones, supresiones o cambios sucesivos que conduzcan a considerar que se trata de una nueva inversión sustancial, evaluada desde un punto de vista cuantitativo o cualitativo, permitirá atribuir a la base resultante de dicha inversión un plazo de protección propio.

Artículo 137. Salvaguardia de aplicación de otras disposiciones.

Lo dispuesto en el presente Título se entenderá sin perjuicio de cualesquiera otras disposiciones legales que afecten a la estructura o al contenido de una base de datos tales como las relativas al derecho de autor u otros derechos de propiedad intelectual, al derecho de propiedad industrial, derecho de la competencia, derecho contractual, secretos, protección de los datos de carácter personal, protección de los tesoros nacionales o sobre el acceso a los documentos públicos.

LIBRO III
De la protección de los derechos reconocidos en esta Ley

TÍTULO I
Acciones y procedimientos

Artículo 138. Acciones y medidas cautelares urgentes.

El titular de los derechos reconocidos en esta ley, sin perjuicio de otras acciones que le correspondan, podrá instar el cese de la actividad ilícita del infractor y exigir la indemnización de los daños materiales y morales causados, en los términos previstos en los artículos 139 y

140. También podrá instar la publicación o difusión, total o parcial, de la resolución judicial o arbitral en medios de comunicación a costa del infractor.

Tendrá también la consideración de responsable de la infracción quien induzca a sabiendas la conducta infractora; quien coopere con la misma, conociendo la conducta infractora o contando con indicios razonables para conocerla; y quien, teniendo un interés económico directo en los resultados de la conducta infractora, cuente con una capacidad de control sobre la conducta del infractor. Lo anterior no afecta a las limitaciones de responsabilidad específicas establecidas en los artículos 14 a 17 de la Ley 34/2002, de 11 de julio, de servicios de la sociedad de la información y de comercio electrónico, en la medida en que se cumplan los requisitos legales establecidos en dicha ley para su aplicación.

Asimismo, podrá solicitar con carácter previo la adopción de las medidas cautelares de protección urgente reguladas en el artículo 141.

Tanto las medidas de cesación específicas contempladas en el artículo 139.1.h) como las medidas cautelares previstas en el artículo 141.6 podrán también solicitarse, cuando sean apropiadas, contra los intermediarios a cuyos servicios recurra un tercero para infringir derechos de propiedad intelectual reconocidos en esta ley, aunque los actos de dichos intermediarios no constituyan en sí mismos una infracción, sin perjuicio de lo dispuesto en la Ley 34/2002, de 11 de julio, de servicios de la sociedad de la información y de comercio electrónico. Dichas medidas habrán de ser objetivas, proporcionadas y no discriminatorias.

Artículo 139. Cese de la actividad ilícita.

1. El cese de la actividad ilícita podrá comprender:

a) La suspensión de la explotación o actividad infractora, incluyendo todos aquellos actos o actividades a los que se refieren los artículos 196 y 198.

b) La prohibición al infractor de reanudar la explotación o actividad infractora.

c) La retirada del comercio de los ejemplares ilícitos y su destrucción, incluyendo aquellos en los que haya sido suprimida o alterada sin autorización la información para la gestión electrónica de derechos o cuya protección tecnológica haya sido eludida. Esta medida se ejecutará a expensas del infractor, salvo que se aleguen razones fundadas para que no sea así.

d) La retirada de los circuitos comerciales, la inutilización, y, en caso necesario, la destrucción de los moldes, planchas, matrices, negativos y demás elementos materiales, equipos o instrumentos destinados principalmente a la reproducción, a la creación o fabricación de ejemplares ilícitos. Esta medida se ejecutará a expensas del infractor, salvo que se aleguen razones fundadas para que no sea así.

e) La remoción o el precinto de los aparatos utilizados en la comunicación pública no autorizada de obras o prestaciones, así como de aquellas en las que se haya suprimido o alterado sin autorización la información para la gestión electrónica de derechos, en los términos previstos en el artículo 198, o a las que se haya accedido eludiendo su protección tecnológica, en los términos previstos en el artículo 196.

f) El comiso, la inutilización y, en caso necesario, la destrucción de los instrumentos, con cargo al infractor, cuyo único uso sea facilitar la supresión o neutralización no autorizadas de cualquier dispositivo técnico utilizado para proteger un programa de ordenador. Las mismas medidas podrán adoptarse en relación con los dispositivos, productos o componentes para la elusión de medidas tecnológicas a los que se refiere el artículo 196 y para suprimir o alterar la información para la gestión electrónica de derechos a que se refiere el artículo 198.

g) La remoción o el precinto de los instrumentos utilizados para facilitar la supresión o la neutralización no autorizadas de cualquier dispositivo técnico utilizado para proteger obras o prestaciones aunque aquélla no fuera su único uso.

h) La suspensión de los servicios prestados por intermediarios a terceros que se valgan de ellos para infringir derechos de propiedad intelectual, sin perjuicio de lo dispuesto en la Ley 34/2002, de 11 de julio, de servicios de la sociedad de la información y de comercio electrónico.

2. El infractor podrá solicitar que la destrucción o inutilización de los mencionados ejemplares y material, cuando éstos sean susceptibles de otras utilizaciones, se efectúe en la medida necesaria para impedir la explotación ilícita.

3. El titular del derecho infringido podrá pedir la entrega de los referidos ejemplares y material a precio de coste y a cuenta de su correspondiente indemnización de daños y perjuicios.

4. Lo dispuesto en este artículo no se aplicará a los ejemplares adquiridos de buena fe para uso personal.

Artículo 140. Indemnización.

1. La indemnización por daños y perjuicios debida al titular del derecho infringido comprenderá no sólo el valor de la pérdida que haya sufrido, sino también el de la ganancia que haya dejado de obtener a causa de la violación de su derecho. La cuantía indemnizatoria podrá incluir, en su caso, los gastos de investigación en los que se haya incurrido para obtener pruebas razonables de la comisión de la infracción objeto del procedimiento judicial.

2. La indemnización por daños y perjuicios se fijará, a elección del perjudicado, conforme a alguno de los criterios siguientes:

a) Las consecuencias económicas negativas, entre ellas la pérdida de beneficios que haya sufrido la parte perjudicada y los beneficios que el infractor haya obtenido por la utilización ilícita.

En el caso de daño moral procederá su indemnización, aun no probada la existencia de perjuicio económico. Para su valoración se atenderá a las circunstancias de la infracción, gravedad de la lesión y grado de difusión ilícita de la obra.

b) La cantidad que como remuneración hubiera percibido el perjudicado, si el infractor hubiera pedido autorización para utilizar el derecho de propiedad intelectual en cuestión.

3. La acción para reclamar los daños y perjuicios a que se refiere este artículo prescribirá a los cinco años desde que el legitimado pudo ejercitarla.

Artículo 141. Medidas cautelares.

En caso de infracción o cuando exista temor racional y fundado de que ésta va a producirse de modo inminente, la autoridad judicial podrá decretar, a instancia de los titulares de los derechos reconocidos en esta Ley, las medidas cautelares que, según las circunstancias, fuesen necesarias para la protección urgente de tales derechos, y en especial:

1. La intervención y el depósito de los ingresos obtenidos por la actividad ilícita de que se trate o, en su caso, la consignación o depósito de las cantidades debidas en concepto de remuneración.

2. La suspensión de la actividad de reproducción, distribución y comunicación pública, según proceda, o de cualquier otra actividad que constituya una infracción a los efectos de esta Ley, así como la prohibición de estas actividades si todavía no se han puesto en práctica.

3. El secuestro de los ejemplares producidos o utilizados y el del material empleado principalmente para la reproducción o comunicación pública.

4. El secuestro de los instrumentos, dispositivos, productos y componentes referidos en los artículos 102.c) y 196.2 y de los utilizados para la supresión o alteración de la información para la gestión electrónica de los derechos referidos en el artículo 198.2.

5. El embargo de los equipos, aparatos y soportes materiales a los que se refiere el artículo 25, que quedarán afectos al pago de la compensación reclamada y a la oportuna indemnización de daños y perjuicios.

6. La suspensión de los servicios prestados por intermediarios a terceros que se valgan de ellos para infringir derechos de propiedad intelectual, sin perjuicio de lo dispuesto en la Ley 34/2002, de 11 de julio, de servicios de la sociedad de la información y del comercio electrónico.

La adopción de las medidas cautelares quedará sin efecto si no se presentara la correspondiente demanda en los términos previstos en la Ley 1/2000, de 7 de enero, de Enjuiciamiento Civil.

[...]

Artículo 143. Causas criminales.

En las causas criminales que se sigan por infracción de los derechos reconocidos en esta Ley, podrán adoptarse las medidas cautelares procedentes en procesos civiles, conforme a lo dispuesto en la Ley de Enjuiciamiento Civil. Estas medidas no impedirán la adopción de cualesquiera otras establecidas en la legislación procesal penal.

TÍTULO II
El Registro de la Propiedad Intelectual

Artículo 144. Organización y funcionamiento.

1. El Registro General de la Propiedad Intelectual tendrá carácter único en todo el territorio nacional. Reglamentariamente se regulará su ordenación, que incluirá, en todo caso, la organización y funciones del Registro Central dependiente del Ministerio de Cultura y las normas comunes sobre procedimiento de inscripción y medidas de coordinación e información entre todas las Administraciones públicas competentes.

2. Las Comunidades Autónomas determinarán la estructura y funcionamiento del Registro en sus respectivos territorios, y asumirán su llevanza, cumpliendo en todo caso las normas comunes a que se refiere el apartado anterior.

Artículo 145. Régimen de las inscripciones.

1. Podrán ser objeto de inscripción en el Registro los derechos de propiedad intelectual relativos a las obras y demás producciones protegidas por la presente Ley.

2. El Registrador calificará las solicitudes presentadas y la legalidad de los actos y contratos relativos a los derechos inscribibles, pudiendo denegar o suspender la práctica de los asientos correspondientes. Contra el acuerdo del Registrador podrán ejercitarse directamente ante la jurisdicción civil las acciones correspondientes.

3. Se presumirá, salvo prueba en contrario, que los derechos inscritos existen y pertenecen a su titular en la forma determinada en el asiento respectivo.

4. El Registro será público, sin perjuicio de las limitaciones que puedan establecerse al amparo de lo previsto en el artículo 101 de esta Ley.

TÍTULO III
Símbolos o indicaciones de la reserva de derechos

Artículo 146. Símbolos o indicaciones.

El titular o cesionario en exclusiva de un derecho de explotación sobre una obra o producción protegidas por esta Ley podrá anteponer a su nombre el símbolo © con precisión del lugar y año de la divulgación de aquéllas.

Asimismo, en las copias de los fonogramas o en sus envolturas se podrá anteponer al nombre del productor o de su cesionario, el símbolo (p), indicando el año de la publicación.

Los símbolos y referencias mencionados deberán hacerse constar en modo y colocación tales que muestren claramente que los derechos de explotación están reservados.

[...]